도서명 R2B 공통수학1

발 행 | 2024년 1월 12일
저 자 | 지혜숲 수학전문학원
펴낸이 | 한건희
펴낸곳 | 주식회사 부크크
출판사등록 | 2014.07.15.(제2014-16호)
주 소 | 서울특별시 금천구 가산디지털1로 119 SK트윈타워 A동 305호
전   화 | 1670-8316
이메일 | info@bookk.co.kr

ISBN | 979-11-410-6655-0

www.bookk.co.kr

다항식

1. 문자의 종류와 용어

1) 문자의 종류
- 상수: 변하지 않는 일정한 값을 나타내는 문자($a, b, c \cdots$)
- 변수: 조건에 따라 변하는 값을 나타내는 문자($x, y, z \cdots$)

2) 용어정리
- 단항식: 수나 문자가 곱으로만 연결된 식
- 다항식: 1개 이상의 단항식이 합 또는 차로 연결된 식
- 계수: 특정 문자를 제외한 나머지 부분
- 차수: 문자가 곱해진 개수
- 동류항: 문자 부분이 같은 항, 동류항끼리는 합 또는 차로 계산할 수 있다.
- 상수항: 문자를 포함하지 않는 항
- 내림차순: 문자의 차수가 높은 쪽에서 낮은 쪽으로 순서를 정리
- 오름차순: 문자의 차수가 낮은 쪽에서 높은 쪽으로 순서를 정리

3) 다항식의 기본원칙과 연산
- $A + B = B + A, \ AB = BA$ (교환법칙)
- $(A + B) + C = A + (B + C), \ (AB)C = A(BC)$ (결합법칙)
- $A(B + C) = AB + AC$ (분배법칙)

예1 다항식 $3x^2 - xy + y^2 + 4x - 2y + 1$에 대하여 다음 물음에 답하시오.

1) xy의 계수

2) x에 대한 차수

3) 상수항

4) x에 대한 내림차순

5) y에 대한 오름차순

지혜숲 수학전문학원

다항식

2. 다항식의 곱셈

1) 지수법칙

a,b는 실수, m,n은 자연수일 때, 다음 지수법칙이 성립한다.

- $a^m \times a^n = a^{m+n}$
- $\left(a^m\right)^n = a^{mn}$
- $(ab)^n = a^n b^n$

- $a^m \div a^n = \dfrac{a^m}{a^n} \begin{cases} a^{m-n} & (m > n) \\ 1 & (m = n) \\ \dfrac{1}{a^{n-m}} & (m < n) \end{cases}$

- $\left(\dfrac{a}{b}\right)^n = \dfrac{a^n}{b^n}$ (단, $b \neq 0$)

2) 계수 구하기

다항식 전개식을 이용해 계수를 구할 수 있다.

① $(x+y)(a+b) = ax + bx + ay + by$

② 다항식 $a_n x^n + a_{n-1} x^{n-1} + \cdots + a_2 x^2 + a_1 x + a_0$에서 모든 계수의 총합은 $x = 1$을 대입하면 $a_n + a_{n-1} + a_{n-2} + \cdots + a_1 + a_0$이다.

예1 $\left(1 + 3x + 2x^2 + 4x^3\right)\left(3 + 2x + 4x^2 + 5x^3\right)$의 전개식에서 x^3의 계수를 구하시오.

예2 $\left(2x^2 - x + 3\right)\left(5x^3 - 2x^2 + x + 1\right)$의 전개식에서 상수항을 포함한 모든 항의 계수들의 총합을 구하시오.

다항식

3. 곱셈공식

1) 필수암기 공식

- $m(a+b) = ma + mb$
- $(a+b)^2 = a^2 + 2ab + b^2$
- $(a-b)^2 = a^2 - 2ab + b^2$
- $(a+b)(a-b) = a^2 - b^2$
- $(x+a)(x+b) = x^2 + (a+b)x + ab$
- $(x-a)(x-b) = x^2 - (a+b)x + ab$
- $(x+a)(x+b)(x+c) = x^3 + (a+b+c)x^2 + (ab+bc+ca)x + abc$
- $(a+b)^3 = a^3 + 3a^2b + 3ab^2 + b^3$
- $(a-b)^3 = a^3 - 3a^2b + 3ab^2 - b^3$
- $(a+b)(a^2-ab+b^2) = a^3 + b^3$
- $(a-b)(a^2+ab+b^2) = a^3 - b^3$
- $(a^2-ab+b^2)(a^2+ab+b^2) = a^4 + a^2b^2 + b^4$
- $(a+b+c)^2 = a^2 + b^2 + c^2 + 2ab + 2bc + 2ca$
- $(a+b+c)(a^2+b^2+c^2-ab-bc-ca) = a^3 + b^3 + c^3 - 3abc$

2) 변형

- $a^2 + b^2 = (a+b)^2 - 2ab$
- $a^2 + b^2 = (a-b)^2 + 2ab$
- $x^2 + \dfrac{1}{x^2} = \left(x + \dfrac{1}{x}\right)^2 - 2$
- $x^2 + \dfrac{1}{x^2} = \left(x - \dfrac{1}{x}\right)^2 + 2$
- $(a+b)^2 = (a-b)^2 + 4ab$
- $\left(x + \dfrac{1}{x}\right)^2 = \left(x - \dfrac{1}{x}\right)^2 + 4$
- $a^3 + b^3 = (a+b)^3 - 3ab(a+b)$
- $a^3 - b^3 = (a-b)^3 + 3ab(a-b)$
- $x^3 + \dfrac{1}{x^3} = \left(x + \dfrac{1}{x}\right)^3 - 3\left(x + \dfrac{1}{x}\right)$
- $x^3 - \dfrac{1}{x^3} = \left(x - \dfrac{1}{x}\right)^3 + 3\left(x - \dfrac{1}{x}\right)$
- $a^2 + b^2 + c^2 = (a+b+c)^2 - 2(ab+bc+ca)$
- $a^3 + b^3 + c^3 = (a+b+c)(a^2+b^2+c^2-ab-bc-ca) + 3abc$
- $a^2 + b^2 + c^2 - ab - bc - ca = \dfrac{1}{2}\{(a-b)^2 + (b-c)^2 + (c-a)^2\}$
- $x^5 + y^5 = (x^2+y^2)(x^3+y^3) - x^2y^2(x+y)$
- $x^7 + y^7 = (x^3+y^3)(x^4+y^4) - x^3y^3(x+y)$

다항식

예1 다항식 $(x-3)(x+2)(x+4)$를 전개하시오.

예2 다항식 $(x^2+x+2)(x^2+x-4)$를 전개하시오.

예3 $(3+2)(3^2+2^2)(3^4+2^4)(3^8+2^8)$을 간단히 하시오.

예4 $x^2+3x+1=0$일 때, $x^3+\dfrac{1}{x^3}$의 값을 구하시오.

다항식

4. 다항식의 나눗셈

① 내림차순으로 정리하고 계수가 0인 항은 비워둔다.

② 정수의 나눗셈과 같은 방법으로 계산한다.

③ 다항식 A를 다항식 $B(B \neq 0)$로 나누었을 때의 몫을 Q, 나머지를 R라 하면

$A = BQ + R$(단, R는 상수이거나 (R의 차수)$<$(B의 차수))

예1 $3x^2 + 8x + 7$을 $x + 2$로 나누었을 때, 몫과 나머지를 각각 구하시오.

예2 다항식 $f(x)$를 $2x - 1$로 나누었을 때의 몫이 $x^2 + x - 3$이고 나머지가 5일 때, 다항식 $f(x)$를 구하시오.

예3 다항식 $x^4 - 3x^2 - x - 5$를 다항식 A로 나누었을 때의 몫이 $x^2 + x + 3$이고 나머지가 $7x + 10$일 때, 다항식 A를 구하시오.

지혜숲 수학전문학원

다항식

※ 몫과 나머지의 변형

• 다항식 $f(x)$를 $x+\dfrac{b}{a}(a \neq 0)$로 나누었을 때의 몫을 $Q(x)$, 나머지를 R라 하면

$$f(x)=\left(x+\frac{b}{a}\right)Q(x)+R$$

• 다항식 $f(x)$를 $ax+b$로 나누었을 때의 몫은 $\dfrac{1}{a}Q(x)$, 나머지는 R

$$f(x)=\left(x+\frac{b}{a}\right)Q(x)+R=\frac{1}{a}(ax+b)Q(x)+R$$

예1 다항식 $f(x)$를 $x-\dfrac{2}{3}$으로 나누었을 때의 몫을 $Q(x)$, 나머지를 R라 할 때, $f(x)$를 $3x-2$로 나누었을 때의 몫과 나머지를 구하시오.

예2 다항식 $f(x)$를 $ax+b$로 나누었을 때의 몫을 $Q(x)$, 나머지를 R라 할 때, $f(x)$를 $x+\dfrac{b}{a}$로 나누었을 때의 몫과 나머지를 구하시오.

다항식

1) $\left(2x^3 - x^2 + a\right)\left(3x^2 + ax - b\right)$의 전개식에서 x^4의 계수와 x^3의 계수가 모두 5일 때, 상수 a, b에 대하여 $a - 2b$의 값을 구하시오.

2) $\left(1 + x + 2x^2 + \cdots + 100x^{100}\right)^2$의 전개식에서 x^5의 계수를 구하시오.

지혜숲 수학전문학원

다항식

3) $\dfrac{1}{a}+\dfrac{1}{b}=3$, $ab=2$일 때, $a-b$의 값은?(단, $a>b$)

① $2\sqrt{6}$ ② $2\sqrt{7}$ ③ $4\sqrt{2}$

④ 6 ⑤ $2\sqrt{10}$

4) $a+b=1$, $a^2+b^2=5$일 때, a^4+b^4의 값을 m, a^5+b^5의 값을 n이라 할 때, $m+n$의 값을 구하시오.

다항식

5) $x+y+z=0$, $x^2+y^2+z^2=5$일 때, $x^2y^2+y^2z^2+x^2z^2=\dfrac{q}{p}$이다. $p+q$의 값을 구하시오. (단, p,q는 서로소인 자연수)

6) $x+y+z=6$, $x^2+y^2+z^2=18$, $\dfrac{1}{x}+\dfrac{1}{y}+\dfrac{1}{z}=\dfrac{9}{4}$일 때, $x^3+y^3+z^3$의 값을 구하시오.

다항식

7) 다항식 $f(x)$를 $x - \dfrac{1}{2}$로 나누었을 때의 몫을 $Q(x)$, 나머지를 R라 할 때, $xf(x)$를 $2x - 1$로 나누었을 때의 몫과 나머지를 차례대로 나열한 것은?

① $\dfrac{x}{2}Q(x) + \dfrac{R}{2}$, $\dfrac{R}{2}$

② $\dfrac{x}{2}Q(x) + \dfrac{R}{2}$, R

③ $\dfrac{x}{2}Q(x) + R$, $\dfrac{R}{2}$

④ $xQ(x) + R$, R

⑤ $xQ(x) + R$, $2R$

---

1) 13
2) 30
3) ②
4) 48
5) 29
6) 66
7) ①

항등식

1. 정의

항등식: 문자를 포함한 등식에서 문자에 **어떠한 값을 대입해도 항상 성립**하는 등식

방정식: 문자를 포함한 등식에서 **특정한 값을 대입했을 때에만 성립**하는 등식

2. 항등식의 풀이법(미정계수 구하기)

1) 계수비교법: 차수가 같은 항의 계수끼리 비교하는 방법

x, y에 대한 항등식의 표현

항등식의 여러 가지 표현
• x의 값에 관계없이
• 모든 x에 대하여
• 임의의 x에 대하여

- $ax + b = 0$ $\leftrightarrow$ $a = 0, \ b = 0$
- $ax + b = cx + d$ $\leftrightarrow$ $a = c, \ b = d$
- $ax^2 + bx + c = 0$ $\leftrightarrow$ $a = 0, \ b = 0, \ c = 0$
- $ax + by + c = 0$ $\leftrightarrow$ $a = 0, \ b = 0, \ c = 0$

2) 수치대입법: 항등식의 문자에 적당한 수를 대입하여 계수를 구하는 방법

예1 등식 $(2k-1)x + (k+1)y - k - 7 = 0$이 k의 값에 관계없이 항상 성립할 때, 상수 x, y의 값을 구하시오.

예2 등식 $2x^2 - 6x - 2 = a(x+1)(x-2) + bx(x-2) + cx(x+1)$

항등식

3. 여러 가지 항등식

1) 분수식

• 일정한 값을 갖는 분수식을 하나의 상수 k로 둔 후에 $(\quad)k+(\quad)=0$의 꼴로 해결한다.

• 통분한 후에 분자식에 대하여 항등식으로 해결한다.

예1 $\dfrac{4x+ay+b}{x+y-1}$ 가 x,y의 값에 관계없이 항상 일정한 값을 갖도록 상수 a,b의 값을 구하시오. (단, $x+y \neq 1$)

예2 모든 실수 x에 대하여 $\dfrac{1}{(x-1)(x-2)(x-3)}=\dfrac{a}{x-1}+\dfrac{b}{x-2}+\dfrac{c}{x-3}$ 가 항상 성립할 때, $a+b+c$의 값을 구하시오.

항등식

2) 계수의 합 구하기

$(x+a)^n = a_0 + a_1 x + a_2 x^2 + \cdots + a_n x^n$ 꼴에서 $x = 0$ 또는 $x = \pm 1$을 양변에 대입한 후 두 식을 더하거나 빼서 상수항 또는 계수의 합을 구한다.

예1 등식 $(x+1)^{15} = a_0 + a_1 x + \cdots + a_{14} x^{14} + a_{15} x^{15}$이 모든 실수 x에 대하여 성립할 때, $a_1 + a_3 + \cdots + a_{13} + a_{15}$의 값을 구하시오. (단, $a_0, a_1, \cdots, a_{14}, a_{15}$는 상수)

예2 등식 $(x^2 - 2x + 1)^3 = a_0 + a_1 x + a_2 x^2 + \cdots + a_6 x^6$이 x에 대한 항등식일 때, $a_0 + a_2 + a_4 + a_6$의 값을 구하시오. (단, $a_0, a_1, a_2, \cdots, a_6$은 상수)

항등식

3) 나눗셈과 항등식

x에 대한 다항식을 몫과 나머지로 표현한 항등식: $A(x) = B(x)Q(x) + R(x)$

예1 다항식 $x^3 + ax^2 + b$를 $x^2 + x - 2$로 나누었을 때의 나머지가 $2x + 3$일 때, 상수 a, b에 대하여 ab의 값을 구하시오.

예2 다항식 $x^3 + 8x^2 + 5x - a$가 $x^2 + 3x + b$로 나누어떨어질 때, 상수 a, b에 대하여 $a + b$의 값을 구하시오.

항등식

1) 다항식 $f(x)$에 대하여 $(x+2)(x^2-2)f(x) = x^4 - ax^2 + b$가 x에 대한 항등식일 때, 두 상수 a, b에 대하여 $a+b$의 값을 구하시오.

2) 다음 등식이 k의 값에 관계없이 항상 성립할 때, xyz의 값은?

$$(k^2+k)x - (k^2-k)y - (k-1)z = 2$$

① 1   ② 2   ③ 3

④ 4   ⑤ 5

항등식

3) 모든 실수 x에 대하여 등식 $x^{2009} = a_0 + a_1(1+x) + a_2(1+x)^2 + \cdots + a_{2009}(1+x)^{2009}$이 성립할 때, $a_0 + a_2 + a_4 + \cdots + a_{2008}$의 값은?

① -2^{2009} ② -2^{2008} ③ 0

④ 2^{2008} ⑤ 2^{2009}

4) 모든 실수 x에 대하여 등식 $x^{50} + 1 = a_{50}(x-1)^{50} + a_{49}(x-1)^{49} + \cdots + a_1(x-1) + a_0$이 성립할 때, $a_{49} + a_{47} + \cdots + a_3 + a_1$의 값은? (단, $a_0, a_1, \cdots, a_{49}, a_{50}$은 상수이다.)

① $2^{48} - 1$ ② 2^{48} ③ $2^{48} + 1$

④ $2^{49} - 1$ ⑤ 2^{49}

항등식

5) $a-b=-1$을 만족시키는 임의의 실수 a,b에 대하여 등식 $a^2x+by+z=a$가 성립할 때, 상수 x,y,z에 대하여 $x+y+z$의 값을 구하시오.

6) x^3-4x^2+ax+b를 $(x+1)^2$으로 나누면 나머지가 7이 될 때, $a+b$의 값은?

① -12 ② -10 ③ 0

④ 10 ⑤ 12

항등식

7) x에 대한 이차다항식 $f(x)$가 다음 조건을 만족한다.

> (가) x^3+3x^2+4x+2를 $f(x)$로 나눈 나머지는 $g(x)$이다.
>
> (나) x^3+3x^2+4x+2를 $g(x)$로 나눈 나머지는 $f(x)-x^2-2x$이다.

이때, $g(1)$의 값을 구하시오.

---

1) 14
2) ②
3) ②
4) ⑤
5) 0
6) ②
7) 4

나머지정리

1. 정의

- x에 대한 다항식 $f(x)$를 $x-\alpha$로 나누었을 때의 나머지를 R라 할 때, $R = f(\alpha)$

- x에 대한 다항식 $f(x)$를 $ax+b$로 나누었을 때의 나머지를 R라 할 때, $R = f\left(-\dfrac{b}{a}\right)$

예1 다항식 $6x^3 + 2x - 1$을 $x-2$로 나누었을 때의 나머지를 구하시오.

예2 다항식 $x^{11} + 5x^7 - 3x^4 + k$를 $x-1$로 나눈 나머지가 10일 때, 상수 k값을 구하시오.

예3 다항식 $f(x) = 3x^3 - x^2 - 3x + 5$를 $3x-1$로 나누었을 때의 나머지를 구하시오.

나머지정리

2. 조립제법

다항식 $f(x)$를 일차식 $x-\alpha$로 나눌 때 계수만을 사용하여 몫과 나머지를 구하는 방법

① 나누는 일차식의 계수가 1일 때 진짜몫이 나온다.

② 나누는 일차식의 계수가 1이 아니면 가짜몫이 나온다.

예1 조립제법을 이용하여 $(3x^3+4x^2-5) \div (x+2)$의 몫과 나머지를 각각 구하시오.

예2 조립제법을 이용하여 $(2x^3-5x^2+5x+3) \div (2x-3)$의 몫과 나머지를 각각 구하시오.

예3 등식 $3x^3-x+2 = a(x-1)^3+b(x-1)^2+c(x-1)+d$가 x에 대한 항등식일 때, 상수 a, b, c, d의 값을 구하시오.

나머지정리

3. 나누는 식과 나머지의 차수

다항식 $f(x)$를 다항식 $B(x)\,(B \neq 0)$으로 나눌 때의 몫을 $Q(x)$, 나머지를 $R(x)$라 하면

$B(x)$ 일차식	$R(x)$은 상수	$R(x)=R$
$B(x)$ 이차식	$R(x)$은 일차 이하의 식	$R(x)=ax+b$
$B(x)$ 삼차식	$R(x)$은 이차 이하의 식	$R(x)=ax^2+bx+c$

예1 다항식 $f(x)$를 $x+4$로 나누었을 때의 나머지가 11이고, $x-3$으로 나누었을 때의 나머지가 -3이다. $f(x)$를 $(x+4)(x-3)$으로 나누었을 때의 나머지를 구하시오.

예2 다항식 x^3+2x^2+3x+1을 $(x-1)^2$으로 나눈 나머지를 구하시오.

예3 다항식 x^3+2x^2+3x+1을 x^2-x+1로 나눈 나머지를 구하시오.

지혜숲 수학전문학원

나머지정리

예4 다항식 $f(x)$를 $(x-1)^2$으로 나누었을 때의 나머지가 $3x+2$이고, $x+1$로 나누었을 때의 나머지가 3이다. $f(x)$를 $(x-1)^2(x+1)$로 나누었을 때의 나머지를 구하시오.

예5 다항식 $f(x)$를 x^2+1로 나누었을 때의 나머지는 $x+2$이고, $x+1$로 나누었을 때의 나머지는 3이다. 다항식 $f(x)$를 $(x^2+1)(x+1)$로 나누었을 때의 나머지를 구하시오.

예6 다항식 $x^{11}-x^9+x^7-1$을 x^3-x로 나누었을 때의 나머지를 $R(x)$라 할 때, $R(3)$의 값을 구하시오.

나머지정리

4. 검산식 활용

1) $f(ax+b)$를 $x-\alpha$로 나누는 경우

다항식 $f(ax+b)$를 $x-\alpha$로 나누었을 때의 나머지: $f(a\alpha+b)$

예1 다항식 $f(x)$를 $(x-1)(x-2)$로 나누었을 때의 나머지가 $2x-5$일 때, 다항식 $f(3x-7)$을 $x-3$으로 나누었을 때의 나머지를 구하시오.

2) 몫을 나누는 경우

다항식 $f(x)$를 $g(x)$로 나누었을 때의 몫을 $Q(x)$라 하고 $Q(x)$를 $x-\alpha$로 나누었을 때의 몫을 $Q'(x)$라 하면 $Q(x)=(x-\alpha)Q'(x)+Q(\alpha)$

예2 다항식 $x^{2018}+x^{2017}+x$를 $x-1$로 나누었을 때의 몫을 $Q(x)$라 할 때, $Q(x)$를 $x+1$로 나누었을 때의 나머지를 구하시오.

나머지정리

3) 수의 나눗셈

• 치환을 통해 검산 식으로 재해석한다.

• 나머지가 음수가 나오면 나눈 수만큼 더한다.

예3 999^9을 998로 나눈 나머지를 a, 1000으로 나눈 나머지를 b라 할 때, $a+b$의 값을 구하시오.

4) 식 변형

주어진 조건을 이용해 검산식을 세워서 식을 변형시킨다.

예4   최고차항의 계수가 1인 삼차식 $f(x)$에 대하여 $f(1)=f(2)=f(3)=5$일 때, $f(x)$를 $x-4$로 나누었을 때의 나머지를 구하시오.

나머지정리

1) 다항식 $x^n(x^2+ax+b)$를 $(x-3)^2$으로 나누었을 때의 나머지가 $3^n(x-3)$이 되도록 하는 상수 $a+b$의 값을 구하시오.(단, n은 자연수)

2) 등식 $x^3+x^2-8x+7=(x-1)^3+a(x-1)^2+b(x-1)+c$가 x의 값에 관계없이 항상 성립하도록 하는 상수 a,b,c에 대하여 다항식 ax^2-bx-c를 $x-2$로 나눈 나머지를 구하시오.

지혜숲 수학전문학원

나머지정리

3) 다항식 $f(x)$를 $(x-1)(x-2)(x-3)$으로 나누었을 때의 나머지가 x^2+x+1이다. 다항식 $f(6x)$를 $6x^2-5x+1$로 나누었을 때의 나머지를 $R(x)$라 할 때, $R(1)$의 값을 구하시오.

4) 다항식 $f(x)=x^3+ax^2+bx+2$가 $(x+1)(x+2)$로 나누어 떨어질 때, $f(1-x)$를 $x-5$로 나누었을 때의 나머지를 구하시오. (단, a,b는 상수)

나머지정리

5) 다항식 $f(x)$를 $x-1$로 나누었을 때 나머지는 6, $f(x)$를 x^2+x+1로 나누었을 때 나머지는 $2x+1$이다. 이때, $f(x)$를 x^3-1로 나누었을 때의 나머지를 $R(x)$라 할 때, $R(2)$의 값은?

① 6   ② 8   ③ 10

④ 12   ⑤ 14

6) 다항식 $f(x)$를 $x-2$로 나누었을 때의 몫이 $Q(x)$, 나머지가 5이고, $Q(x)$를 $x+3$으로 나누었을 때의 나머지가 3일 때, $f(x)$를 $(x-2)(x+3)$으로 나누었을 때의 나머지를 $R(x)$라고 하자. 이때 $R(2)$의 값을 구하시오.

나머지정리

7) $7^{30}+7^{20}+7$을 6으로 나누었을 때의 나머지를 구하시오.

8) $2^{1000}+2^{1001}+2^{1002}+2^{1003}$을 7로 나누었을 때의 나머지를 구하시오.

---

1) 1
2) 21
3) 31
4) -18
5) ④
6) 5
7) 3
8) 2

인수분해

1. 정의

하나의 다항식을 두 개 이상 다항식의 곱으로 나타내는 것, 곱을 이루는 각각의 다항식을 **인수**라 한다.

$$x^2 - 2x - 3 \xrightarrow[\text{전개}]{\text{인수분해}} (x-3)(x+1)$$

2. 인수정리

x에 대한 다항식 $f(x)$를 $x - \alpha$로 나누어 떨어질 때 $\leftrightarrow$ $f(\alpha) = 0$

$\leftrightarrow$ $f(x)$를 $x - \alpha$를 인수로 갖는다.

$\leftrightarrow$ $f(x) = (x - \alpha)Q(x)$

x에 대한 다항식 $f(x)$를 $ax + b$로 나누어 떨어질 때 $\leftrightarrow$ $f\left(-\dfrac{b}{a}\right) = 0$

3. 기본공식

- $ma \pm mb = m(a \pm b)$
- $a^2 \pm 2ab + b^2 = (a \pm b)^2$
- $a^2 - b^2 = (a+b)(a-b)$
- $x^2 + (a+b)x + ab = (x+a)(x+b)$
- $acx^2 + (ad+bc)x + bd = (ax+b)(cx+d)$
- $a^3 \pm 3a^2b + 3ab^2 \pm b^3 = (a \pm b)^3$
- $a^3 \pm b^3 = (a \pm b)(a^2 \mp ab + b^2)$
- $a^4 + a^2b^2 + b^4 = (a^2 + ab + b^2)(a^2 - ab + b^2)$
- $x^3 + \dfrac{1}{x^3} = \left(x + \dfrac{1}{x}\right)^3 - 3\left(x + \dfrac{1}{x}\right)$
- $x^3 - \dfrac{1}{x^3} = \left(x - \dfrac{1}{x}\right)^3 + 3\left(x - \dfrac{1}{x}\right)$
- $a^3 + b^3 + c^3 - 3abc = (a+b+c)(a^2 + b^2 + c^2 - ab - bc - ca)$
  $$= (a+b+c)\frac{1}{2}\{(a-b)^2 + (b-c)^2 + (c-a)^2\}$$

4. 기본원칙

- 공통인수가 있으면 공통인수로 묶어준다.
- 인수분해 공식을 이용할 수 있다면 적극적으로 이용한다.
- 문자의 개수가 많으면 그중 차수가 가장 작은 문자의 내림차순으로 정리한다.
- 인수분해는 특별한 조건이 없으면 모든 식의 계수를 유리수 범위로 한정한다.

인수분해

예1 다음 식을 인수분해 하시오.

1) $x^4 + x$

2) $x^4 - y^4$

3) $x^4 + x^2 z^2 - y^2 z^2 - y^4$

4) $x^3 - x^2 - 3x + 3$

예2 다음 식을 인수분해 하시오.

1) $(x-1)^2 + 6(x-1) + 9$

2) $x^2 - (2a+3)x + (a+1)(a+2)$

3) $27x^3 - 27x^2 + 9x - 1$

4) $a^2 + 4b^2 - c^2 - 4ab$

인수분해

5. 복잡한 식의 인수분해

1) 공통부분이 있는 경우: 치환한다.

예1 다음 식을 인수분해 하시오.

1) $\left(a^2 + 3a - 2\right)\left(a^2 + 3a + 4\right) - 27$

2) $(x-1)(x-3)(x+2)(x+4) + 24$

2) 인수정리 이용

계수가 모두 정수인 다항식 $f(x)$에서 $f(\alpha) = 0$을 만족시키는 α의 값을 찾는방법은

$\alpha = \pm \dfrac{f(x)\text{상수항의 양의 약수}}{f(x)\text{최고차항 계수의 양의 약수}}$ 중에서 찾는다.

예2 다음 식을 인수분해하시오.

1) $x^3 - 4x^2 + x + 6$

2) $3x^3 - 5x^2 - 34x + 24$

지혜숲 수학전문학원

31

인수분해

3) 복이차식

- 인수분해가 가능하면 $x^2 = t$로 치환한 후 이차식 인수분해로 계산한다.
- 인수분해가 불가능하다면 완전제곱식의 차로 변형한 후 인수분해 공식을 사용한다.

예3 다음 식을 인수분해 하시오.

1) $x^4 - 3x^2 + 2$

2) $x^4 - 8x^2 + 4$

4) 대칭식

- 각 항을 x^2으로 묶는다.
- $x + \dfrac{1}{x}$을 치환한 후 이차식으로 정리하여 인수분해한다.
- 각 인수에 x를 곱한다.

예4 다음 식을 인수분해 하시오.

1) $x^4 + 5x^3 - 4x^2 + 5x + 1$

2) $x^4 + 3x^3 - 8x^2 + 3x + 1$

지혜숲 수학전문학원

인수분해

5) 여러개의 문자를 포함한 식
• 차수가 가장 낮은 한 문자에 대하여 내림차순으로 정리한다.

예5 다음 식을 인수분해 하시오.

1) $x^2 + xy + 2x + y + 1$

2) $x^3 + x^2z + xz^2 - y^3 - y^2z - yz^2$

6) 활용
• 두 일차식의 곱으로 인수분해가 된다면 판별식을 두 번쓴다.
• 수의 계산은 치환한 후 인수분해한다.

예6 다항식 $x^2 + 3xy + 2y^2 + kx - 9y - 5$가 x, y에 대한 두 일차식의 곱으로 인수분해될 때, 정수 k의 값을 구하시오.

예7 $\dfrac{2023^3 + 1}{2022 \times 2023 + 1}$의 값을 구하시오.

인수분해

1) 다항식 $x^4 + ax^3 + bx^2 - 4x - 4$가 $(x-1)(x-2)Q(x)$로 인수분해될 때, $Q(-2)$의 값을 구하시오.

2) 세 양수 a, b, c가 $a^3 + b^3 + c^3 = 3abc$를 만족시킬 때, $\dfrac{b-c}{a} - \dfrac{a}{b} + \dfrac{a+b}{c}$의 값을 구하시오.

인수분해

3) 다항식 $(x-1)(x-2)(x-3)(x-4)+k$가 x에 대한 이차식의 완전제곱꼴로 인수분해 되기 위한 상수 k의 값을 구하여라.

4) 삼각형의 세 변의 길이가 각각 a, b, c이고 $a^3 + c^3 + a^2c + ac^2 - ab^2 - b^2c = 0$을 만족할 때, 이 삼각형은 어떤 삼각형인가?

① 정삼각형   ② $a = b$인 이등변삼각형   ③ $b = c$인 이등변삼각형

④ a가 빗변인 직각삼각형   ⑤ b가 빗변인 직각삼각형

인수분해

5) 서로 다른 세 실수 a, b, c에 대하여 $\dfrac{(b-a)c^2+(c-b)a^2+(a-c)b^2}{(a-b)(b-c)(c-a)}$의 값을 구하시오.

6) $xy+z=1$일 때, $2xy-xy^2-x^2y-xyz$를 인수분해하면?

① $(1-x)(1-y)(1-z)$ ② $(x+y)(1-z)$

③ $(1+x)(1+y)(1+z)$ ④ $(x-y)(1-z)$

⑤ $(x-y)(x+y-z)$

---

1) 12
2) 1
3) 1
4) ⑤
5) 1
6) ①

복소수

1. 정의 및 분류

- 제곱해서 -1이 되는 수 $\sqrt{-1}$을 i로 나타내고 이를 허수단위라고 한다.
- a,b가 실수일 때, $a+bi$의 꼴로 나타낸 수를 복소수라 하고, a를 실수부분, b는 허수부분

실수가 아닌 복소수 $a+bi(b \neq 0)$를 허수라 하고, 실수부분이 0인 허수 bi를 순허수라 한다.
복소수 $a+bi(a,b$는 실수)를 분류하면 다음과 같다.

$$a+bi \begin{cases} 실수\, a & (b=0) \\ 허수\, a+bi\ (b \neq 0) \begin{cases} 순허수\, bi & (a=0, b \neq 0) \\ 순허수가 아닌 허수\, a+bi & (a \neq 0, b \neq 0) \end{cases} \end{cases}$$

예1 보기 중 허수인 것과 순허수인 것을 각각 고르시오.

㉠ $1-2i$ ㉡ $\sqrt{2}\,i$ ㉢ -6

㉣ $1+\sqrt{3}$ ㉤ $\dfrac{1+\sqrt{2}\,i}{3}$ ㉥ $-2i$

2. 복소수가 서로 같을 조건

a, b, c, d가 실수일 때

- $a+bi=0 \Leftrightarrow a=0, b=0$ • $a+bi=c+di \Leftrightarrow a=c,\ b=d$

예2 등식 $(1+i)x+(1-i)y-2-4i=0$을 만족시키는 실수 x,y의 값을 구하시오.

복소수

3. 켤레복소수

1) 정의

복소수 $a+bi$ (a,b는 실수)에서 허수부분의 부호를 바꾼 복소수 $a-bi$를 켤레복소수라 하고, 기호로 $\overline{a+bi}$로 나타낸다. 즉, $\overline{a+bi}=a-bi$이다.

2) 사칙연산

a,b,c,d가 실수일 때

덧셈: $(a+bi)\pm(c+di)=(a\pm c)+(b\pm d)i$

곱셈: $(a+bi)(c+di)=(ac-bd)+(ad+bc)i$

나눗셈: $\dfrac{a+bi}{c+di}=\dfrac{(a+bi)(c-di)}{(c+di)(c-di)}=\dfrac{ac+bd}{c^2+d^2}+\dfrac{bc-ad}{c^2+d^2}i$ (단, $c+di\neq0$)

예1 복소수 $2(3-4i)-\overline{3+2i}$를 계산하시오.

예2 복소수 $(1+i)^2+(1-i)^2$을 계산하시오.

예3 등식 $\dfrac{x}{1-i}+\dfrac{y}{1+i}=12-9i$를 만족시키는 실수 x,y에 대하여 $x+y$의 값을 구하시오.

지혜숲 수학전문학원

복소수

3) 성질

두 복소수 z_1, z_2와 각각의 켤레복소수 $\overline{z_1}$, $\overline{z_2}$에 대하여 다음이 성립한다.

① $\overline{(\bar{z})} = z$,

② $\overline{z_1 \pm z_2} = \overline{z_1} \pm \overline{z_2}$

③ $\overline{z_1 z_2} = \overline{z_1} \times \overline{z_2}$

④ $\overline{\left(\dfrac{z_2}{z_1}\right)} = \dfrac{\overline{z_2}}{\overline{z_1}} \ (z_1 \neq 0)$

⑤ $z_1 + \overline{z_1} =$ 실수, $z_1 \overline{z_1} =$ 실수

⑥ $z_1 = \overline{z_1} \Leftrightarrow z_1$은 실수

⑦ $\overline{z_1} = -z_1 \Leftrightarrow z_1$은 순허수 또는 0

예1 실수가 아닌 복소수 z에 대하여 $z(z+3)$이 실수일 때, $z + \bar{z}$의 값을 구하시오.

예2 복소수 $z = (1+i)x^2 + (5+4i)x - 7(2+3i)$가 순허수가 되도록 하는 실수 x의 값을 구하시오.

예3 두 복소수 α, β에 대하여 $\overline{\alpha} + \beta = 2i$, $\overline{\alpha}\beta = 1+i$일 때, $\dfrac{1}{\alpha} + \dfrac{1}{\beta}$의 값을 구하시오.

복소수

4. 구분법

복소수 $z = a + bi$일 때,

- $z^2 = 0$이면 $z = 0$이다.

- $z^2 > 0$(양의 실수)이면 z는 실수이다. $(z \neq 0)$

- $z^2 < 0$(음의 실수)이면 z는 순허수이다.

예1 복소수 $z = (1+i)a^2 - (1+3i)a + 2(i-1)$에 대하여 $z^2 < 0$일 때, 실수 a의 값을 구하시오.

예2 복소수 $z = a(2+i) - b(1+i)$에 대하여 $z^2 = -1$이 성립할 때, $a^2 + b^2$의 값을 구하시오. (단, a, b는 실수)

예3 복소수 $z = (1+i)a^2 + (2+i)a - (3+2i)$에 대하여 z^2이 양의 실수가 되도록 하는 실수 a의 값을 구하시오.

복소수

5. i^n의 추정과 암기사항

1) 규칙성

- $i = \sqrt{-1}$
- $i^3 = -i$
- $i^{4n} = 1$
- $i^{4n+2} = -1$

- $i^2 = -1$
- $i^4 = 1$
- $i^{4n+1} = i$
- $i^{4n+3} = -i$

2) 암기사항

- $\dfrac{1+i}{1-i} = i$
- $\dfrac{1-i}{1+i} = -i$

- $(1+i)^2 = 2i$
- $(1-i)^2 = -2i$

6. 음수의 제곱근

- $a < 0, b < 0$일 때, $\sqrt{a}\,\sqrt{b} = -\sqrt{ab}$
- $a > 0, b < 0$일 때, $\dfrac{\sqrt{a}}{\sqrt{b}} = -\sqrt{\dfrac{a}{b}}$

예1 다음을 간단히 하시오.

1) $(2i)^{30}$

2) $\left(\dfrac{1+i}{1-i}\right)^{11}$

3) $(1-i)^{20}$

4) $\sqrt{-2} \times \sqrt{-3}$

5) $\sqrt{-3} \times \sqrt{12}$

6) $\dfrac{\sqrt{12}}{\sqrt{-3}}$

예2 $a + b = -6$, $ab = 4$일 때, $\left(\sqrt{a} + \sqrt{b}\right)^2$의 값을 구하시오.

지혜숲 수학전문학원

복소수

1) 두 복소수 α, β에 대하여 $\alpha + \beta = 2 - i$일 때, $\alpha\overline{\alpha} + \overline{\alpha}\beta + \alpha\overline{\beta} + \beta\overline{\beta}$의 값을 구하시오. (단, $\overline{\alpha}, \overline{\beta}$는 각각 α, β의 켤레복소수)

2) 복소수 $z = \dfrac{1 + 3i}{1 - i}$일 때, $z^3 + 2z^2 + 6z + 1$을 간단히 하면?(단, $i = \sqrt{-1}$)

① 1 ② $2i$ ③ $-2i$

④ $2 + 2i$ ⑤ $-2 + 2i$

복소수

3) 두 복소수 α, β에 대하여 $\alpha - \beta = 2+3i, \alpha\beta = 4-i$, 일 때, $\left(\overline{\alpha} - 2\right)\left(\overline{\beta} + 2\right)$의 값을 구하시오.

4) 복소수 $z = \dfrac{1+i}{\sqrt{2}\,i}$에 대하여 $z^n = 1$이 되도록 하는 자연수 n의 값 중 가장 작은 값은?

① 2   ② 4   ③ 6

④ 8   ⑤ 10

복소수

5) 임의의 복소수 z에 대하여 <보기>중 그 값이 항상 실수인 것만을 모두 고르면?
(단, $\bar{z}$는 z의 켤레복소수이다.)

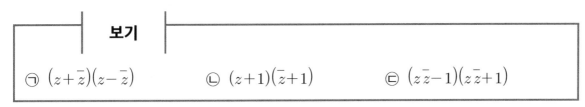

보기

$\bigcirc$ $(z+\bar{z})(z-\bar{z})$ 　　　 $\bigcirc$ $(z+1)(\bar{z}+1)$ 　　　 $\bigcirc$ $(z\bar{z}-1)(z\bar{z}+1)$

① $\bigcirc$ 　　　　② $\bigcirc$ 　　　　③ $\bigcirc$
④ $\bigcirc,\bigcirc$ 　　　⑤ $\bigcirc,\bigcirc,\bigcirc$

6) 복소수 α, β가 $\alpha^2 = 2i, \beta^2 = -2i$를 만족시킬 때, 옳은 것만을 <보기>에서 있는 대로 고른 것은? (단, $i = \sqrt{-1}$)

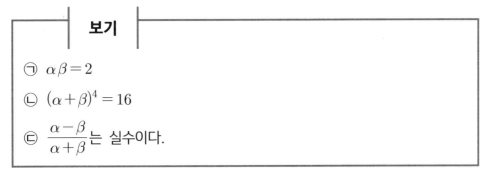

보기

$\bigcirc$ $\alpha\beta = 2$

$\bigcirc$ $(\alpha+\beta)^4 = 16$

$\bigcirc$ $\dfrac{\alpha-\beta}{\alpha+\beta}$ 는 실수이다.

① $\bigcirc$ 　　　　② $\bigcirc$ 　　　　③ $\bigcirc,\bigcirc$
④ $\bigcirc,\bigcirc$ 　　　⑤ $\bigcirc,\bigcirc,\bigcirc$

복소수

7) 복소수 $z=\dfrac{1+i}{1-i}$ 에 대하여 $\dfrac{1}{z}+\dfrac{2}{z^2}+\dfrac{3}{z^3}+\cdots+\dfrac{100}{z^{100}}=x+yi$ 가 성립할 때, $x+y$ 의 값을 구하시오. (단, x,y 는 실수이고 $i=\sqrt{-1}$ 이다.)

8) 등식 $(1+i)^{2n}=-2^n i$ 를 만족시키는 100이하의 자연수 n 의 개수를 구하시오.

복소수

9) $-1 < x < 1$일 때, $\sqrt{x+1}\,\sqrt{x-1}\,\sqrt{1-x}\,\sqrt{-1-x}$를 간단히 하시오.

10) 0이 아닌 세 실수 a, b, c에 대하여 $\sqrt{a}\,\sqrt{b} = -\sqrt{ab}$, $\dfrac{\sqrt{c}}{\sqrt{b}} = -\sqrt{\dfrac{c}{b}}$일 때,

$\sqrt{(a+b)^2} + |c-a| - \sqrt{b^2} + \sqrt{c^2}$을 간단히 하시오.

---

1) 5
2) ②
3) $4-5i$
4) ④
5) ④
6) ①
7) 100
8) 25
9) x^2-1
10) $-2a+2c$

고차방정식

1. 다항방정식의 풀이

1) 이차방정식

인수분해	근의공식
$AB=0 \ \rightarrow \ A=0 \, or \, B=0$	$ax^2+bx+c=0$일 때, $x=\dfrac{-b\pm\sqrt{b^2-4ac}}{2a}$

2) 삼차/사차방정식

인수분해	조립제법
$ABC=0 \ \rightarrow \ A=0 \, or \, B=0 \, or \, C=0$ $ABCD=0 \ \rightarrow \ A=0 \, or \, B=0$ $\qquad\qquad\qquad C=0 \, or \, D=0$	$x^3-6x^2+11x-6=0$ $\quad\rightsquigarrow \ (x-1)(x-2)(x-3)=0$

3) 복이차방정식

치환	제곱의 합차
$x^4-3x^2+2=0$ $\quad\rightsquigarrow \ (x+1)(x-1)(x^2-2)=0$	$x^4+x^2+1=0$ $\quad\rightsquigarrow \ (x^2+x+1)(x^2-x+1)=0$

4) 상반방정식

$ax^4+bx^3+cx^2+bx+a=0 \ (a\neq0)$

① 각 항을 x^2으로 나눈다.

② $x+\dfrac{1}{x}=t$로 치환한다.

③ t의 값을 구하여 $x+\dfrac{1}{x}=t$에 대입한 다음 x의 값을 구한다.

$x^4+8x^3+17x^2+8x+1=0 \quad \rightarrow$

고차방정식

2. 낯선 방정식

1) 계수가 문자일 때

- $ax = b$ ➡ 최고차항의 계수가 문자일 때, $a = 0$, $a \neq 0$에 대한 경우를 나눈다.

$a \neq 0$	$x = \dfrac{b}{a}$
$a = 0$	$b = 0$ (부정)
	$b \neq 0$ (불능)

- $ax^2 + bx + c = 0$ ➡ 최고차항의 계수가 문자일 때, $a = 0, a \neq 0$에 대한 경우를 나눈다.

$a \neq 0$	이차방정식을 푼다.		(인수분해, 근의공식)
$a = 0$	$b \neq 0$		일차방정식을 푼다.
	$b = 0$	$c = 0$ (부정)
		$c \neq 0$ (불능)

예1 x에 대한 방정식 $(a-1)(a-2)x = a-2$를 푸시오.

2) 계수가 유리수가 아닐 때

켤레 수를 곱해서 계수를 단순화한다.

예2 이차방정식 $(\sqrt{2}-1)x^2 - (\sqrt{2}+1)x + 2 = 0$의 해를 구하여라.

고차방정식

3) 절댓값을 포함하는 방정식

- $\sqrt{a^2} = |a| = \begin{cases} a & (a \geq 0) \\ -a & (a < 0) \end{cases}$
- $|x| = |y| \leftrightarrow x = \pm y$
- $|x| = y \leftrightarrow x = \pm y$
- $|x^2| = |x|^2 = x^2$
- $|xy| = xy$

예1 다음 방정식을 푸시오.

1) $x^2 + 2|x| - 8 = 0$

2) $x^2 - 3x = |x-1| - 2$

3) $|x-2| + 1 = x^2 - \sqrt{x^2}$

4) 미정계수 구하기

① 이차방정식 $ax^2 + bx + c = 0$의 한 근 α가 주어진다면 대입한다.

② 대입한 후 미정계수를 구하고 또 다른 한 근을 구한다.

예2 x에 대한 이차방정식 $(a-1)x^2 - (a^2-1)x + 2(a-1) = 0$의 한 근이 1일 때, 실수 a의 값과 다른 한 근을 구하시오.

고차방정식

1) x에 대한 방정식 $a^2x - a = b^2x + b$의 해에 대한 다음 보기의 설명 중 옳은 것만을 모두 고른 것은?(단, $a \neq 0,\ b \neq 0$)

보기
㉠ $a^2 \neq b^2$이면 해는 오직 하나 존재한다.
㉡ $a = -b$이면 해는 없다.
㉢ $a = b$이면 해는 무수히 많다.

① ㉠   ② ㉡   ③ ㉢

④ ㉠,㉡   ⑤ ㉡,㉢

2) 이차방정식 $x^2 + x - 3 = 0$의 두 근을 α, β라 할 때, $(1 + \alpha + \alpha^2)(1 + \beta + \beta^2)$의 값은?

① -16 ② -4 ③ 4

④ 16 ⑤ 15

고차방정식

3) 두 이차방정식 $x^2-4x+a=0,\ x^2+ax-4=0$을 동시에 만족하는 근이 오직 한 개일 때, 실수 a의 값은?

① -4 ② -3 ③ 1

④ 3 ⑤ 4

4) 사차방정식 $x^4+ax^3+(a+3)x^2+16x+b=0$의 두 근이 $1,3$일 때, 나머지 두 근의 곱을 구하시오.

지혜숲 수학전문학원

고차방정식

5) 어떤 물건의 가격을 $x\%$인상한 후, 다시 $x\%$를 인하하였더니 처음 가격보다 9%낮아졌다. 이때 x의 값은?

① 25　　　　　　② 27　　　　　　③ 30

④ 33　　　　　　⑤ 36

6) 그림과 같이 한 변의 길이가 $12m$인 정사각형 모양의 꽃밭에 폭이 일정한 모양의 길을 만들었더니 남은 꽃밭의 넓이가 $100m^2$이 되었다. 이때 길의 폭은 몇m인지 구하시오.

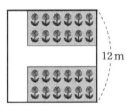

12m

---

1) ①
2) ④
3) ④
4) -4
5) ③
6) $2m$

방정식과 근의 해석

1. 이차방정식 근의 판별

1) 정의

계수가 실수인 이차방정식 $ax^2+bx+c=0$의 근 $x=\dfrac{-b\pm\sqrt{b^2-4ac}}{2a}$는 근호 안의 식

b^2-4ac의 값의 부호에 따라 실근인지 허근인지를 판별할 수 있다. 이때 b^2-4ac를

이차방정식의 판별식이라 하고, 기호 D로 나타낸다. 즉, $D=b^2-4ac$

- $D>0$ 서로 다른 두 실근을 갖는다.
- $D=0$ 중근(서로 같은 두 실근)을 갖는다.
- $D<0$ 서로 다른 두 허근을 갖는다.

※ 일차항의 계수가 짝수인 이차방정식 $ax^2+2b'x+c=0$의 근

$x=\dfrac{-b'\pm\sqrt{b'^2-ac}}{a}$에서 판별식은 $\dfrac{D}{4}=b'^2-ac$이다.

2) 대수적 관점

이차부등식의 풀이

- $(x-\alpha)(x-\beta)<0 \ (\alpha<\beta)$ ➡ $\alpha<x<\beta$
- $(x-\alpha)(x-\beta)>0 \ (\alpha<\beta)$ ➡ $x<\alpha$ 또는 $x>\beta$

3) $D=0$

- 이차방정식이 중근을 갖는다.
- 이차식이 완전제곱식이 된다. ➡ $a(x-k)^2$

지혜숲 수학전문학원

53

방정식과 근의 해석

예1 이차방정식 $x^2 - 2x + k = 0$이 실근을 가질 k의 범위를 구하시오.

예2 이차방정식 $x^2 - 2kx + 1 = 0$이 서로 다른 두 허근을 가질 k의 범위를 구하시오.

예3 방정식 $(k+3)x^2 - 4kx + k = 0$이 서로 다른 두 실근을 갖게 하는 정수 k의 개수를 구하시오.

예4 이차방정식 $x^2 - 2(k-a)x + k^2 + a^2 - b + 1 = 0$이 실수 k의 값에 관계없이 항상 중근을 가질 때, 실수 a, b의 값을 구하시오.

지혜숲 수학전문학원

방정식과 근의 해석

2. 근과 계수의 관계

1) 이차방정식

이차방정식 $ax^2 + bx + c = 0$ $(a, b, c$는 실수$)$의 두 근을 α, β라 하면

- $\alpha + \beta = -\dfrac{b}{a}$ (두근의 합)
- $\alpha\beta = \dfrac{c}{a}$ (두근의 곱)

- $|\alpha - \beta| = \dfrac{\sqrt{b^2 - 4ac}}{|a|}$ (두근의 차)

예1 이차방정식 $x^2 - 2x - 5 = 0$의 두 근이 α, β일 때, $\dfrac{\beta}{\alpha} + \dfrac{\alpha}{\beta}$의 값을 구하시오.

예2 이차방정식 $x^2 + 3x + 2 = 0$의 두 근이 α, β일 때, $(1-\alpha)(1-\beta)$의 값을 구하시오.

예3 이차방정식 $9x^2 - 2kx + k - 5 = 0$의 두 근의 차가 2일 때, 실수 k값의 합을 구하시오.

지혜숲 수학전문학원

방정식과 근의 해석

2) 삼차방정식

삼차방정식 $ax^3 + bx^2 + cx + d = 0$ (a, b, c, d는 실수)의 세 근을 α, β, γ라 하면

- $\alpha + \beta + \gamma = -\dfrac{b}{a}$
- $\alpha\beta + \beta\gamma + \gamma\alpha = \dfrac{c}{a}$
- $\alpha\beta\gamma = -\dfrac{d}{a}$

예1 $x^3 + ax + b = 0$의 중근이 1일 때, 나머지 한 근을 구하시오.

예2   삼차방정식 $x^3 + ax^2 - 4x + b = 0$의 한 근이 $1 + i$일 때, 나머지 한 근을 구하시오.

3) n차방정식

n차방정식 $a_n x^n + a_{n-1} x^{n-1} + a_{n-2} x^{n-2} + \cdots + a_0 = 0$ ($a_0, a_1, \cdots, a_n$는 상수)의 n개의 근을 $x_1, x_2, \cdots, x_n$이라 하면

- $x_1 + x_2 + x_3 + \cdots + x_n = -\dfrac{a_{n-1}}{a_n}$

- $x_1 x_2 + x_2 x_3 + \cdots + x_{n-1} x_n = \dfrac{a_{n-2}}{u_n}$

- $x_1 x_2 x_3 \cdots x_{n-1} x_n = \pm \dfrac{a_0}{a_n}$

방정식과 근의 해석

3. 방정식 세우기

1) 기본

α, β를 두 근으로 갖는 x에 대한 이차방정식은 $a(x-\alpha)(x-\beta)=0$

예1 이차방정식 $x^2-3x+2=0$의 두 근이 α, β일 때, $\alpha+\beta$, $\alpha\beta$를 두 근으로 하는 이차방정식을 구하시오. (단, 최고차항의 계수는 2이다.)

예2 이차방정식 $x^2-3x+2=0$의 두 근이 α, β일 때, $\dfrac{1}{\alpha}, \dfrac{1}{\beta}$를 두 근으로 하는 이차방정식을 구하시오. (단, 최고차항의 계수는 2이다.)

방정식과 근의 해석

2) 활용

$f(x)$를 $(x-\alpha)$로 나눈 나머지가 0일 때	$f(x)$를 $(x-\alpha)$로 나눈 나머지가 R일 때
• $f(x)=(x-\alpha)Q(x)$	• $f(x)=(x-\alpha)Q(x)+R$
• $f(\alpha)=0$	• $f(\alpha)=R$
• $f(x)=0$의 한 근이 α이다.	• $f(x)=R$의 한 근이 α
• $f(x)=k(x-\alpha)(\ \ )(\ \ )\cdots$	• $f(x)-R=0$의 한 근이 α

예1 이차방정식 $x^2+x-4=0$의 두 근을 α,β라 할 때, $f(\alpha)=f(\beta)=1$을 만족시키는
이차식 $f(x)$를 구하시오. (단, $f(x)$의 이차항의 계수는 1이다.)

예2 $f(1)=2, f(2)=2, f(3)=4$일 때, 이차식 $f(x)$를 구하시오.

예3 이차방정식 $f(x)=0$의 두 근 α,β에 대하여 $\alpha+\beta=7$일 때, 이차방정식
$f(3x-4)=0$의 두 근의 합을 구하시오.

지혜숲 수학전문학원

방정식과 근의 해석

4. 켤레근의 성질

• 계수가 유리수인 n차 다항방정식에서 $\left(a_n x^n + a_1 x^{n-1} + \cdots + a_1 x + a_0 = 0\right)$

➡ $p + q\sqrt{m}$이 근이면 $p - q\sqrt{m}$도 근(단, p, q는 유리수, $q \neq 0$, $\sqrt{m}$은 무리수)

예1 계수가 유리수인 x에 대한 이차방정식 $x^2 + ax + b = 0$의 한 근이 $2 - \sqrt{3}$일 때, $a^2 + b^2$의 값을 구하시오.

• 계수가 실수인 n차 다항방정식에서 $\left(a_n x^n + a_1 x^{n-1} + \cdots + a_1 x + a_0 = 0\right)$

➡ $w = a + bi$가 근이면 $\overline{w} = a - bi$도 근 (단, m, n은 실수 $n \neq 0$, $i = \sqrt{-1}$)

예2 삼차방정식 $x^3 - 3x^2 + ax + b = 0$의 한 근이 $1 + i$일 때, 실수 a, b와 실근을 모두 더한 값을 구하시오. (단, $i = \sqrt{-1}$)

지혜숲 수학전문학원

방정식과 근의 해석

5. $x^3 = 1$ 허근의 성질

방정식 $x^3 = 1$의 한 허근을 w	방정식 $x^3 = -1$의 한 허근을 w
• $w^3 = 1$, $w^2 + w + 1 = 0$	• $w^3 = -1$, $w^2 - w + 1 = 0$
• $w + \overline{w} = -1$, $w\overline{w} = 1$	• $w + \overline{w} = 1$, $w\overline{w} = 1$
• $w^2 = \overline{w} = \dfrac{1}{w}$	• $w^2 = -\overline{w} = -\dfrac{1}{w}$

예1 방정식 $x^3 = 1$의 한 허근을 w라 할 때, $1 + w + w^3 + w^5 + w^7 + w^9 + w^{11}$의 값을
구하시오.

예2 방정식 $x^3 = 1$의 한 허근을 w라 할 때, $\dfrac{3w^2 + 2\overline{w}}{w^{10} + 1}$의 값을 구하시오.

예3 방정식 $x^2 - x + 1 = 0$의 한 허근을 w라 할 때, $\left(-1 - w^{2020}\right)\left(1 - w^{2021}\right)\left(1 + w^{2022}\right)$의
값을 구하시오.

방정식과 근의 해석

1) x에 관한 이차방정식 $x^2 - 2(k-a)x + k^2 + a^2 - b + 1 = 0$이 실수 k의 값에 관계없이 항상 중근을 가질 때, 실수 a, b의 값을 구하시오.

2) 사차방정식 $x^4 - 15x^2 + 25 = 0$의 네 근을 $\alpha, \beta, \gamma, \delta$라 할 때, $\dfrac{1}{\alpha} + \dfrac{1}{\beta} + \dfrac{1}{\gamma} + \dfrac{1}{\delta}$의 값을 m, $\dfrac{1}{\alpha\beta\gamma\delta}$의 값을 n이라 할 때, $m+n$의 값을 구하시오.

방정식과 근의 해석

3) 삼차방정식 $x^3 + (2p-1)x + 2p = 0$이 중근을 갖도록 하는 모든 실수 p의 값의 합을 구하시오.

4) 이차방정식 $x^2 + ax + b = 0$의 풀이에서 지현이는 일차항의 계수 a를 잘못 보아 두 근 $1, 2$를 얻었고, 민지는 상수항 b를 잘못 보아 두 근 $-4, 1$을 얻었다. 올바른 방정식의 근의 합을 구하시오.

방정식과 근의 해석

5) x에 대한 이차방정식 $x^2+(1-3m)x+2m^2-4m-7=0$의 두 근의 차가 4가 되도록 하는 실수 m의 모든 값의 곱을 구하시오.

6) 이차방정식 $x^2+x+1=0$의 두 근을 α, β라 하고 $f(n)=\alpha^n+\beta^n$ (n은 양의 정수)라 할 때, $f(3n+2)$의 값은?

① -2 ② -1 ③ 0

④ 1 ⑤ 2

방정식과 근의 해석

7) 삼차방정식 $2x^3 + 3x^2 - 4x + 4 = 0$의 세 근을 α, β, γ라 할 때, $(2-\alpha)(2-\beta)(2-\gamma)$의 값을 구하시오.

8) x에 대한 삼차방정식 $x^3 - 2x^2 + kx + 6 = 0$의 세 근을 α, β, γ라 할 때, $(\alpha+\beta)(\beta+\gamma)(\gamma+\alpha) = -4$를 만족하는 상수 k의 값을 구하여라.

방정식과 근의 해석

9) 이차방정식 $x^2 - 3x - 2 = 0$의 두 근이 α, β일 때, $\alpha^3 - 3\alpha^2 + \alpha\beta + 2\beta$의 값을 구하시오.

10) 이차방정식 $x^2 + ax + b = 0$의 두 근이 α, β이고 $x^2 + bx + a = 0$의 두 근이 $\dfrac{1}{\alpha}, \dfrac{1}{\beta}$이다. $a + b$의 값은? (단, a, b는 실수이다.)

① 1 ② 2 ③ 3

④ 4 ⑤ 5

방정식과 근의 해석

11) 이차방정식 $f(x)=0$의 두 근을 α, β라 할 때, $\alpha+\beta=4$를 만족시킨다. 이때 방정식 $f(2x-1)=0$의 두 근의 합은?

① 3   ② 4   ③ 5

④ 6   ⑤ 7

12) 사차방정식 $x^4-2x^2-3=0$의 두 실근 α, β에 대하여 $\alpha+2, \beta+2$를 근으로 하고 x의 계수가 1인 방정식은?

① $x^2-4x+1=0$ ② $x^2-4x-1=0$ ③ $x^2-2x+3=0$

④ $x^2-2x-3=0$ ⑤ $x^2+4x+1=0$

방정식과 근의 해석

13) 다항식 $f(x) = x^2 + px + q$ (p, q는 실수)가 다음 두 조건을 만족시킨다.

> (가) 다항식 $f(x)$를 $x - 1$로 나눈 나머지는 1이다.
>
> (나) 실수 a에 대하여 이차방정식 $f(x) = 0$의 한 근은 $a + i$이다.

$p + 2q$의 값은? (단, $i = \sqrt{-1}$)

① 2   ② 4   ③ 6

④ 8   ⑤ 10

14) 이차방정식 $x^2 + 2(m+1)x - 12 = 0$의 두 근의 절댓값의 비가 $1 : 3$이 되도록 하는 모든 실수 m의 값의 곱을 구하시오.

방정식과 근의 해석

15) $x^3 - 1 = 0$의 한 허근을 w라 할 때, 자연수 n에 대하여 $f(n) = w^{2n} - w^n + 1$로 정의하자. $f(1) + f(2) + f(3) + \cdots + f(10) = aw + b$일 때, 두 실수 a, b의 곱 ab의 값은?

① -10 ② -12 ③ -14

④ -16 ⑤ -18

---

1) $a = 0, b = 1$
2) $\dfrac{1}{25}$
3) $-\dfrac{7}{8}$
4) -3
5) 13
6) ②
7) 12
8) -5
9) 4
10) ②
11) ①
12) ①
13) ①
14) -3
15) ⑤

이차함수와 방정식

1. 방정식의 기하학적인 해석

1) 방정식과 함수의 관계

① 방정식의 실근 $\leftrightarrow$ 함수(그래프)의 교점의 x좌표

② 교점의 개수 $\leftrightarrow$ 실근의 개수

③ $f(x)=g(x)$의 실근의 개수 $\leftrightarrow$ $y=f(x)$, $y=g(x)$의 교점의 개수

2) 이차방정식과 판별식

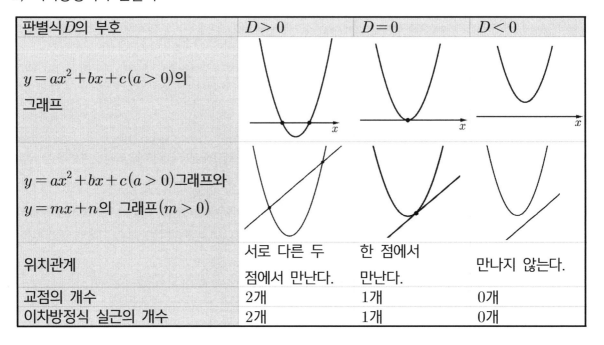

판별식 D의 부호	$D > 0$	$D = 0$	$D < 0$
$y=ax^2+bx+c(a>0)$의 그래프			
$y=ax^2+bx+c(a>0)$그래프와 $y=mx+n$의 그래프$(m>0)$			
위치관계	서로 다른 두 점에서 만난다.	한 점에서 만난다.	만나지 않는다.
교점의 개수	2개	1개	0개
이차방정식 실근의 개수	2개	1개	0개

예1 직선 $y=-2x+1$에 평행하고 포물선 $y=x^2+2x-3$에 접하는 직선의 방정식을 구하시오.

예2 방정식 $x^2-4x-p=0$이 서로 다른 두 실근을 가질 때, 실수 p의 범위를 구하시오.

지혜숲 수학전문학원

이차함수와 방정식

2. 이차함수

1) 식의 종류와 해석

① $y = ax^2 + bx + c$　　　　② $y = a(x-p)^2 + q$　　　　③ $y = a(x-\alpha)(x-\beta)$

2) 식 세우기

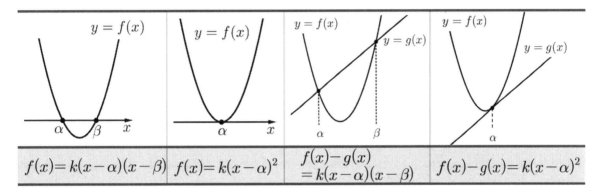

$f(x) = k(x-\alpha)(x-\beta)$	$f(x) = k(x-\alpha)^2$	$f(x) - g(x)$ $= k(x-\alpha)(x-\beta)$	$f(x) - g(x) = k(x-\alpha)^2$

예1　이차함수의 그래프는 x축과 두 점 $(-4,0), (2,0)$에서 만나고, 이 이차함수의 최댓값은 18이다. 이 그래프의 y절편을 구하시오.

예2　최고차항의 계수가 2인 이차함수 $y = f(x)$가 일차함수 $g(x) = 2x - 2$와의 교점의 x좌표가 1,2일 때, 함수 $f(x)$의 식을 구하시오.

예3　이차함수 $f(x) = 2x^2 + bx + c$에서 $f(1) = f(3) = 5$일 때, $f(x)$의 최솟값을 구하시오.

이차함수와 방정식

3. 실근의 위치

이차방정식 $ax^2+bx+c=0$의 두 근의 위치를 판별하기 위해서는 다음을 확인해야 한다.

① **판별식**의 부호   ② 경계값에서 **함숫값**의 부호   ③ 대칭**축**의 위치

이차함수 $f(x)=ax^2+bx+c$ 실근의 위치를 다음과 같이 판별할 수 있다.

- 두 근이 모두 p보다 크다. ➡ $f(p)>0$, 대칭축$>p$, $D \geq 0$
- 두 근이 모두 p보다 작다. ➡ $f(p)>0$, 대칭축$<p$, $D \geq 0$
- 두 근 사이에 p가 있다. ➡ $f(p)<0$
- 두 근이 모두 $p, q(p<q)$사이에 있다. ➡ $f(p)>0$, $f(q)>0$, $p<$대칭축$<q$, $D \geq 0$

예1 이차방정식 $x^2-2ax+a+6=0$의 두 근이 모두 1보다 클 때, a의 범위를 구하시오.

예2 이차방정식 $x^2-2ax+a+6=0$의 두 근이 모두 1보다 작을 때, a의 범위를 구하시오.

예3 이차방정식 $x^2-2ax+a+6=0$의 두 근 사이에 1이 있을 때, a의 범위를 구하시오.

예4 이차방정식 $x^2-(m+2)x-(m-1)=0$의 두 근이 모두 0과 2사이에 있을 때, 실수 m의 값의 범위를 구하시오.

이차함수와 방정식

1) 포물선 $y = x^2 + 3x - 3$과 직선 $y = x + k$가 서로 다른 두 점에서 만나고 그 두 점 사이의 거리가 $2\sqrt{6}$일 때, 상수 k의 값을 구하시오.

2) 이차함수 $y = x^2 - ax + b$의 그래프와 직선 $y = 2x - 3$의 두 교점 중 한 교점의 x좌표가 $2 - \sqrt{5}$일 때, 유리수 a, b의 합을 $a + b$의 값을 구하시오.

지혜숲 수학전문학원

이차함수와 방정식

3) 점 $(5,1)$에서 이차함수 $y = x^2 - 5x + 5$의 그래프에 그은 두 접선의 기울기의 곱을 구하시오.

4) 이차방정식 $x^2 + ax + 2a - 3 = 0$의 두 근이 $-2, 1$사이에 있을 때, 모든 정수 a값의 합을 구하시오.

5) 함수 $f(x)=ax^2+4ax+b$가 $-3 \leq x \leq 0$에서 최댓값 3, 최솟값 -1을 가질 때, 상수 a,b의 곱 ab의 값을 구하시오. (단, $a>0$)

6) 그림과 같이 이차함수 $y=x^2-3x+2$의 그래프가 y축과 만나는 점을 A, x축과 만나는 점을 각각 B,C라 하자. 점$P(a,b)$가 점 A에서 이차함수 $y=x^2-3x+2$의 그래프를 따라 점 B를 거쳐 점 C까지 움직일 때, $a+b+3$의 최댓값과 최솟값의 합을 구하시오.

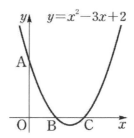

이차함수와 방정식

7) 실수 x, y가 $x + y^2 = 1$을 만족할 때, $x^2 + y^2 - 2x$의 최솟값을 구하시오.

8) $0 \leq x \leq 3$일 때, 함수 $y = \left(x^2 - 2x + 3\right)^2 - 4\left(x^2 - 2x + 3\right)$의 최댓값과 최솟값의 합을 구하시오.

지혜숲 수학전문학원

이차함수와 방정식

9) 그림과 같이 직사각형 $ABCD$에서 두 점 B, C는 x축 위에 있고, 두 점 A, D는 이차함수 $y = -x^2 + 10x$의 그래프 위에 있다. 이때 직사각형 $ABCD$의 둘레의 길이의 최댓값을 구하시오. (단, 점 A는 제1사분면 위에 있다.)

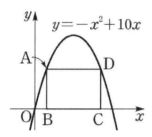

10) 그림과 같이 밑변의 길이가 $40m$, 높이가 $20m$인 직각삼각형 모양의 땅에 농사를 지으려고 한다. 농사를 짓기 위한 면적의 넓이 최댓값을 구하시오.

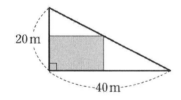

이차함수와 방정식

11) 최고차항의 계수가 $a\,(a>0)$인 이차함수 $f(x)$가 다음 조건을 만족시킨다.

> (가) 직선 $y=4ax-10$과 함수 $y=f(x)$의 그래프가 만나는 두 점의 x좌표는 1과 5이다.
>
> (나) $1 \le x \le 5$에서 $f(x)$의 최솟값은 -8이다.

$100a$의 값을 구하시오.

12) $x \ge 3$에서 이차함수 $y=2x^2-8kx$의 최솟값이 16일 때, 실수 k의 값을 구하시오.

이차함수와 방정식

13) $-2 \leq x \leq 5$에서 정의된 이차함수 $f(x)$가 $f(0) = f(4)$, $f(-1) + |f(4)| = 0$을 만족시킨다. 함수 $f(x)$의 최솟값이 -19일 때, $f(3)$의 값을 구하시오.

---

1) -1
2) -2
3) 9
4) 3
5) 3
6) 9
7) -1
8) 8
9) 52
10) 200
11) 50
12) $\dfrac{1}{12}$
13) 11

여러 가지 방정식

1. 연립이차방정식

• 일차식과 이차식	일차식을 한 문자에 대하여 정리한 후 이차식에 대입한다.
• 두 이차식	인수분해가 가능할 때: 인수분해 후 다른 식에 대입한다.
	인수분해가 불가능할 때: 상수항이나 이차항을 소거한다.
• 대칭식	$x+y=a,\ xy=b$로 놓고 이차방정식 $t^2-at+b=0$을 이용하여 해를 구한다.

예1 연립방정식 $\begin{cases} y-x=1 \\ x^2+y^2=25 \end{cases}$ 의 해를 구하시오.

예2 연립방정식 $\begin{cases} 2x^2-3xy+y^2=0 \\ 2x^2+xy+y^2=8 \end{cases}$ 의 해를 구하시오.

예3 연립방정식 $\begin{cases} x+y-2xy=-5 \\ 2x+2y+5xy=44 \end{cases}$ 의 해를 구하시오.

여러 가지 방정식

2. 부정방정식

1) 정수조건

(일차식)×(일차식)=(정수)꼴로 변형한 후 약수와 배수의 성질을 이용한다.

예1 방정식 $xy - x - y - 1 = 0$을 만족하는 정수 x, y를 구하시오.

2) 실수조건

① $A^2 + B^2 = 0$의 꼴로 변형한 후 실수 A, B에 대하여 $A = 0, B = 0$임을 이용한다.

② 한 문자에 대하여 내림차순으로 정리한 후 판별식 $D \geq 0$임을 이용한다.

예2 방정식 $x^2 - 2xy + 2y^2 + 2x + 2 = 0$을 만족시키는 실수 x, y의 값을 구하시오.

여러 가지 방정식

1) 연립방정식 $\begin{cases} x^2 + 2x - 2y = 0 \\ x + y = a \end{cases}$ 의 실근이 존재하지 않도록 하는 정수 a의 최댓값을 구하시오.

2) 두 연립방정식 $\begin{cases} a^2 x^2 - y^2 = -1 \\ 2x + y = 3 \end{cases}$ $\begin{cases} x + y = b^2 \\ x^2 - y^2 = -45 \end{cases}$ 가 공통인 해를 가질 때, 실수 a, b에 대하여 $a^2 + b^2$의 값을 구하시오.

여러 가지 방정식

3) x에 대한 이차방정식 $x^2 + (m+1)x + 2m - 1 = 0$의 두 근이 정수가 되도록 하는 모든 정수 m의 값의 합은?

① 6   ② 7   ③ 8

④ 9   ⑤ 10

4) 연립방정식 $\begin{cases} x + y = 2a - 1 \\ x^2 + xy + y^2 = 3a^2 - 4a + 2 \end{cases}$ 가 실근을 가질 때, 정수 a의 최댓값을 구하시오.

여러 가지 방정식

5) 연립방정식 $\begin{cases} 3y^2 + 2x - 5y = 4 \\ 2y^2 - 5x + 3y = 9 \end{cases}$ 의 자연수의 해를 각각 $x = a, y = b$라 할 때, $a + b$의 값을 구하시오.

6) 연립방정식 $\begin{cases} 2x^2 + xy - 20y^2 = 16 \\ x^2 + xy - 8y^2 = 12 \end{cases}$ 의 자연수의 해를 각각 $x = a, y = b$라 할 때, $a + b$의 값을 구하시오.

여러 가지 방정식

7) 그림과 같이 지름의 길이가 $13cm$인 원에 내접하는 직사각형의 둘레의 길이가 $34cm$이다. 이 직사각형의 가로, 세로의 길이를 구하시오. (단, 직사각형의 가로가 세로보다 길다.)

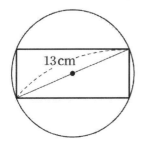

1) -3
2) 17
3) ①
4) 1
5) 3
6) 5
7) 가로$12cm$, 세로 $5cm$

부등식

1. 계수가 문자일 때

1) $ax > b$의 해

최고차항의 계수가 문자일 때, $a > 0, a = 0, a < 0$로 경우를 나눈다.

• $a > 0$	$x > \dfrac{b}{a}$	
• $a < 0$	$x < \dfrac{b}{a}$	
• $a = 0$	$b > 0$	$0 \cdot x >$양수(해가없다.)
	$b < 0$	$0 \cdot x >$음수(해가 무수히 많다.)
	$b = 0$	$0 \cdot x > 0$ (해가없다.)

2) $ax^2 + bx + c > 0$의 해

최고차항의 계수가 문자일 때, $a > 0, a = 0, a < 0$로 경우를 나눈다.

• $a \neq 0$	이차부등식을 푼다.
• $a = 0$	$bx + c > 0$을 푼다.

예1 x에 대한 부등식 $ax - 1 < x - a$를 푸시오.

부등식

2. 이차부등식의 재해석

1) 서로 다른 두 실근

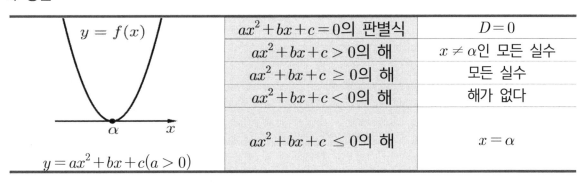

$ax^2+bx+c=0$의 판별식	$D>0$
$ax^2+bx+c>0$의 해	$x<\alpha$ 또는 $x>\beta$
$ax^2+bx+c\geq 0$의 해	$x\leq\alpha$ 또는 $x\geq\beta$
$ax^2+bx+c<0$의 해	$\alpha<x<\beta$
$ax^2+bx+c\leq 0$의 해	$\alpha\leq x\leq\beta$

$y=f(x)$

$y=ax^2+bx+c(a>0)$

• 대수적 접근

$(x-\alpha)(x-\beta)>0\ (\alpha>\beta)$	$(x-\alpha)(x-\beta)<0\ (\alpha<\beta)$
➡ $x<\beta$ 또는 $x>\alpha$	➡ $\alpha<x<\beta$

• 함수적 접근

2) 중근

$y=f(x)$

$ax^2+bx+c=0$의 판별식	$D=0$
$ax^2+bx+c>0$의 해	$x\neq\alpha$인 모든 실수
$ax^2+bx+c\geq 0$의 해	모든 실수
$ax^2+bx+c<0$의 해	해가 없다
$ax^2+bx+c\leq 0$의 해	$x=\alpha$

$y=ax^2+bx+c(a>0)$

• 대수적 접근

➡ (실수)$^2\geq 0$을 이용하여 푼다.

$(x-\alpha)^2>0$	$x\neq\alpha$인 모든 실수	$(x-\alpha)^2<0$	해가 없다
$(x-\alpha)^2\leq 0$	$x=\alpha$	$(x-\alpha)^2\geq 0$	x는 모든 실수

• 함수적 접근

지혜숲 수학전문학원

부등식

3) 허근

$ax^2+bx+c=0$의 판별식	$D<0$
$ax^2+bx+c>0$의 해	모든 실수
$ax^2+bx+c \geq 0$의 해	모든 실수
$ax^2+bx+c<0$의 해	해가 없다
$ax^2+bx+c \leq 0$의 해	해가 없다

$$y = ax^2+bx+c \,(a>0)$$

• 대수적 접근

➡ 완전제곱식으로 만든다.

• 함수적 접근

예1   이차부등식 $ax^2+bx+c>0$의 해가 $-3<x<4$일 때, 이차부등식
$ax^2-bx+c>0$의 해를 구하시오. (단, a,b,c는 실수)

예2   모든 실수 x에 대하여 부등식 $(a+2)x^2-2(a+2)x+4>0$이 성립할 때, 실수 a의
값의 범위를 구하시오.

부등식

3. 절대부등식

- 모든 실수 x에 대하여 $f(x) > 0$
➡️ $y = f(x)$의 그래프가 항상 x축의 위쪽에 있다.(상대적 위치)
➡️ $f(x)$의 최솟값이 항상 0보다 크다.(양수)
➡️ $y = f(x)$가 x축과의 교점이 없다.
➡️ $f(x) = 0$의 근이 없다. $(D < 0)$

- 모든 실수 x에 대하여 $f(x) < 0$
➡️ $y = f(x)$의 그래프가 항상 x축의 아래쪽에 있다.(상대적 위치)
➡️ $f(x)$의 최솟값이 항상 0보다 작다.(음수)
➡️ $y = f(x)$가 x축과의 교점이 없다.
➡️ $f(x) = 0$의 근이 없다. $(D < 0)$

- 제한된 범위에서 $f(x) > 0$ 또는 $f(x) < 0$
➡️ 그래프 그려서 해결한다.

부등식

예1 모든 실수 x에 대하여 $x^2-4x+a>0$를 항상 성립하게 하는 실수 a의 범위를 구하시오.

예2 $0 \le x \le 3$에서 이차부등식 $x^2+ax+a^2-9 \le 0$이 항상 성립하도록 하는 실수 a의 값의 범위를 구하시오.

예3 이차부등식 $ax^2+4x+a>0$이 해를 갖도록 하는 실수 a의 값의 범위를 구하시오.

예4 이차함수 $y=x^2-4kx+1$의 그래프가 직선 $y=2x-k^2$보다 항상 위쪽에 있도록 하는 실수 k의 값의 범위를 구하시오.

부등식

1) x에 대한 부등식 $(a-b)x+a-2b \leq 0$의 해가 존재하지 않을 때, 부등식
$(a-3b)x+a-5b > 0$의 해는?

① $x > -3$ ② $x > -2$ ③ $x < -2$

④ $x < 1$ ⑤ $x < 2$

2) 부등식 $x^2-x \leq 2|x-1|$의 해가 $\alpha \leq x \leq \beta$일 때, 실수 α, β에 대하여 $\beta-\alpha$의 값을 구하시오.

3) x에 대한 연립부등식 $\begin{cases} x^2+ax+b \geq 0 \\ x^2+cx+d \leq 0 \end{cases}$ 의 해가 $1 \leq x \leq 3$ 또는 $x=4$일 때,

$a+b+c+d$의 값은?

① 1   ② 2   ③ 3

④ 4   ⑤ 5

4) $-1 \leq x \leq 1$에서 이차부등식 $x^2-2x+3 \leq -x^2+k$가 항상 성립할 때, 실수 k의 최솟값을 구하시오.

부등식

5) 이차부등식 $ax^2+bx+c \geq 0$의 해가 $x=2$뿐일 때, 보기에서 옳은 것만을 있는 대로 고르시오.

보기
㉠ $ax^2+bx+c \leq 0$의 해는 모든 실수이다.
㉡ $-ax^2+bx-c \leq 0$의 해는 $x=2$뿐이다.
㉢ $cx^2+bx+a \geq 0$의 해는 $x=2$뿐이다.

6) 어느 상점에서 티셔츠 한 장을 1만원에 판매하면 하루에 24장이 판매되고, 가격을 1000원씩 할인할 때마다 하루 판매량이 8장씩 늘어난다고 한다. 티셔츠의 하루 판매액이 32만원 이상이 되도록 할 때, 할인할 수 있는 금액의 최솟값을 구하시오.

부등식

7) 직선 $y = px + q$와 이차함수 $y = ax^2 + bx + c$의 그래프가 그림과 같을 때, <보기>에서 옳은 것만을 있는 대로 고른 것은?

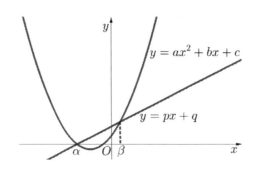

보기
㉠ $b^2 - 4ac > 0$
㉡ $aq^2 + bq + c > 0$
㉢ 부등식 $ax^2 + (b-p)x + c - q \leq 0$의 해는 $\alpha \leq x \leq \beta$

① ㉠　　　　② ㉠,㉡　　　　③ ㉠,㉢
④ ㉡,㉢　　　⑤ ㉠,㉡,㉢

부등식

8) 0이 아닌 실수 p에 대하여 이차함수 $f(x)=x^2+px+p$의 그래프의 꼭짓점을 A, 이 이차함수의 그래프가 y축과 만나는 점을 B라 할 때, 두 점 A,B를 지나는 직선 l의 방정식을 $y=g(x)$라 하자. 부등식 $f(x)-g(x)\le 0$을 만족시키는 정수 x의 개수가 10이 되도록 하는 정수 p의 최댓값을 M, 최솟값을 m이라 할 때, $M-m$의 값은?

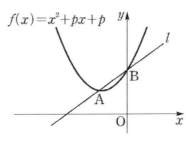

① 32   ② 34   ③ 36

④ 38   ⑤ 40

---

1) ②
2) 4
3) ④
4) 7
5) ㉠
6) 2000
7) ⑤
8) ④

경우의 수

1. 사건과 경우의 수

1) 사건: 어떤 실험이나 관찰에 따라 일어나는 결과

2) 경우의 수: 사건이 일어날 수 있는 모든 가짓수

2. 사칙연산의 의미

1) 덧셈: 각각의 사건이 구조적으로 다른 경우 (합의 법칙)

$n(A \cup B) = n(A) + n(B) - n(A \cap B)$

예1   주사위를 한 번 던졌을 때 2의 배수 또는 3의 배수가 나오는 경우의 수

2) 곱셈: 각각의 사건이 구조적으로 같은 경우 (곱의 법칙)

① 행위의 연속: 같은 영역에서 다른 개수로 잇달아 선택할 때

② 순서 부여: 다른 영역에서 선택할 때

사건 A가 일어나는 경우의 수를 m, 사건 B가 일어나는 경우의 수를 n이라 할 때,

두 사건 A, B가 연달아 일어나는 경우의 수는 $m \times n$

예2   5이하의 자연수 중 홀수와 짝수를 각각 한 개씩 선택하는 경우의 수

3) 나눗셈: 순서 무시

예3   5명 중 2명을 대표로 선택하는 경우의 수

4) 뺄셈: 주어진 사건에서 특정 사건의 경우를 제외할 때(여사건)

① 직접적으로 구하기 힘들 때(부정문)

② 사건의 경우가 많은 문장을 내포한 경우('적어도', '~이상')

예4   1부터 72까지의 자연수 중에서 72와 서로소인 수의 개수

경우의 수

3. 다양한 상황

1) 방정식과 부등식

계수가 가장 큰 항을 기준으로 수를 대입하여 생각한다.

예1 방정식 $x+2y+3z=11$을 만족시키는 자연수 x, y, z의 순서쌍 (x, y, z)의 개수를 구하시오.

예2 x, y가 자연수일 때, 부등식 $3 < x+y < 7$을 만족시키는 순서쌍 (x, y)의 개수를 구하시오.

예3 두 주사위를 동시에 던져 나오는 눈의 수를 각각 a, b라 할 때, 이차함수 $y = x^2 + 2ax + 9b$의 그래프가 x축과 적어도 한 점에서 만나도록 하는 순서쌍 (a, b)의 개수를 구하시오.

경우의 수

2) 지불방법과 지불금액

① 단위마다 지불하는 방법을 나열한다.

② 단위마다 지불하는 금액을 나열하고 나열된 금액이 겹치는 경우 큰 단위 금액을 작은 단위로 환산시킨다.

③ 0원을 지불하는 경우를 고려하고 곱의 법칙으로 마무리한다.

예1   10000원짜리 5장, 1000원짜리 7장과 100원짜리 동전 3개로 지불할 수 있는 금액의 경우의 수를 구하시오. (단, 0원을 지불하는 경우는 제외한다.)

예2   10원짜리 동전 5개, 100원짜리 동전 4개, 1000원짜리 지폐가 1장 있다. 이들 지폐를 사용하여 지불할 수 있는 금액의 경우의 수를 구하시오. (단, 0원을 지불하는 경우는 제외)

예3   100원짜리 동전 1개, 50원짜리 동전 2개, 10원짜리 동전 3개의 일부 또는 전부를 사용하여 거스름돈 없이 지불할 때 지불할 수 있는 금액의 수를 구하시오. (단, 0원을 지불하는 것은 제외한다.)

경우의 수

3) 길찾기
경로설정 후 합의법칙과 곱의법칙을 이용해 계산한다.

예1 세 지점 A, B, C 가 다음 그림과 같이 길로 연결되어 있다. 같은 지점을 두 번 지나지 않는다고 할 때, A지점에서 C지점으로 가는 방법의 수를 구하시오.

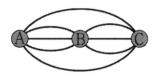

예2 집, 도서관, 학교, 서점 사이를 연결하는 도로가 다음 그림과 같을 때, 집에서 출발하여 학교로 가는 방법의 수를 구하시오. (단, 같은 지점을 두 번 지나지 않는다.)

4) 수형도
합의법칙과 곱의법칙을 사용하기 어려울 때 사용한다.

예3 다음 그림과 같은 정육면체의 꼭짓점 A에서 출발하여 모서리를 따라 꼭짓점 G까지 최단거리로 가는 방법의 수를 수형도를 활용하여 구하시오. (단, 한번 지나간 꼭짓점은 다시 지나지 않는다.)

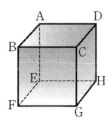

경우의 수

4. 순열

$_nP_r$: 서로 다른 n개에서 r개를 순서대로 나열하는 경우의 수

$_nP_r = n(n-1)(n-2) \times \cdots \times (n-r+1)$ (단, $0 < r \leq n$) (곱의 법칙의 관점)

$_nP_r = \dfrac{n!}{(n-r)!}$ (단, $0 \leq r \leq n$) (순서 무시의 관점)

$_nP_n = n(n-1)(n-2) \times \cdots \times 3 \times 2 \times 1 = n!$

$_nP_0 = 1, \ 0! = 1$

예1 1부터 7까지 숫자가 적혀있는 공에서 3개를 일렬로 나열하는 경우의 수

① 곱의 법칙의 관점

② 순서 무시의 관점

4. 조합

$_nC_r$: 서로 다른 n개에서 r개를 순서에 상관없이 선택하는 경우의 수

$_nC_r$
$\dfrac{_nP_r}{r!}$: 순열의 수에서 순서 무시의 관점

$\dfrac{n!}{r!(n-r)!}$: 전체를 나열한 후 순서 무시의 관점

$_nC_r = {_nC_{n-r}} \ \rightarrow \ _nC_0 = {_nC_n} = 1$

$_nC_r = {_{n-1}C_{r-1}} + {_{n-1}C_r}$ (단, $1 \leq r \leq n-1$)

예2 1부터 7까지 숫자가 적혀있는 공에서 3개를 선택하는 경우의 수

① 순열의 수에서 순서무시의 관점

② 전체를 나열한 후 순서무시의 관점

경우의 수

5. 활용

1) 색칠하기

① 인접한 영역이 많은 부분부터 칠하면 비교적 수월하다.

② 곱의 법칙 시 문제가 발생한다면 나누어서 생각한다.

예1 그림과 같이 A, B, C, D, E 5개의 영역을 서로 다른 4가지 색으로 칠하려고 한다. 같은 색을 중복하여 사용해도 좋으나 인접한 영역은 서로 다른 색으로 칠할 때, 칠하는 방법의 수를 구하시오.

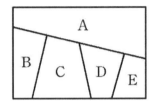

예2 그림과 같이 A, B, C, D 4개의 영역을 서로 다른 4가지 색으로 칠하려고 한다. 같은 색을 중복하여 사용해도 좋으나 인접한 영역은 서로 다른 색으로 칠할 때, 칠하는 방법의 수를 구하시오.

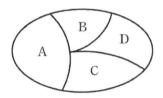

경우의 수

2) 제한 조건이 있는 경우

① 이웃한다면 한 무리로 묶어서 계산한다. 순서를 고려한다면 무리 내에서 나열되는 경우도 계산한다.

② 이웃하지 않는 경우 이웃해도 되는 것을 먼저 고려한다.

③ 문제에서 주어진 조건을 우선 고려한다. 단, 조건을 만족하는 상황이 복잡하다면 여사건도 생각해본다.

예1 남자 4명과 여자 3명을 일렬로 나열할 때 여자 3명이 서로 이웃하는 경우의 수를 구하시오.

예2 남자 4명과 여자 3명을 일렬로 나열할 때 여자끼리 이웃하지 않는 경우의 수를 구하시오.

예3 $0, 1, 2, 3, 4, 5$에서 서로 다른 4개의 숫자를 택하여 네 자리 자연수를 만들 때, 짝수의 개수를 구하시오.

예4 $wisdom$의 6개의 문자를 일렬로 나열할 때, 적어도 한쪽 끝에 자음이 오는 경우의 수를 구하시오.

경우의 수

예5 그림과 같이 반원 위에 7개의 점이 있을 때, 두 점을 이어서 만들 수 있는 서로 다른 직선의 개수를 m, 세 점을 꼭짓점으로 하는 삼각형의 개수를 n이라 할 때, $m+n$의 값을 구하시오.

예6 그림과 같이 원 위에 10개의 점이 같은 간격으로 놓여 있다. 이 중에서 4개의 점을 이어서 만들 수 있는 직사각형의 개수를 구하시오.

3) 조 나누기
서로 다른 n개의 물건을 p개, q개, r개 $(p+q+r=n)$의 세 묶음으로 나누는 방법
① 묶음의 개수가 같으면 묶는 순서를 무시한다.
② 나누기만 하면 조합을 계산, 나누어주면 조합계산 후 순열까지 계산한다.

예7 서로 다른 8종류의 꽃을 2종류, 2종류, 4종류씩 세 묶음으로 나누는 경우의 수를 구하시오.

예8 서로 다른 8종류의 꽃을 2종류, 3종류, 3종류씩 세 묶음으로 나누어 3명에게 나누어 주는 경우의 수를 구하시오.

경우의 수

4) 함수의 개수

두 집합 X와 Y에 대하여 $n(X)=a$, $n(Y)=b$일 때, X에서 Y로의 함수 f의 개수는 다음과 같다.

① 함수의 개수 b^a

② 상수함수의 개수 b

③ $x_1 \neq x_2$이면 $f(x_1) \neq f(x_2)$인 함수의 개수 $_bP_a$

④ $x_1 < x_2$이면 $f(x_1) < f(x_2)$인 함수의 개수 $_bC_a$

예1   두 집합 $X=\{1, 2, 3, 4, 5\}$, $Y=\{a, b\}$에 대하여 치역과 공역이 일치하는 X에서 Y로의 함수의 개수를 구하시오.

예2   집합 $X=\{1, 2, 3, 4, 5\}$에서 집합 $Y=\{1, 2, 3, 4, 5, 6, 7, 8\}$로의 함수 f가 $x_1 < x_2$이면 $f(x_1) < f(x_2)$이고 $f(4)=6$을 만족시킬 때, 함수 f의 개수를 구하시오. (단, $x_1 \in X, x_2 \in X$)

경우의 수

1) 50원, 100원, 500원짜리 동전만 사용할 수 있는 자동판매기에서 600원짜리 음료수 2개를 구입하려고 한다. 거스름돈이 생기지 않도록 자동판매기에 돈을 넣는 방법의 수를 구하면? (단, 돈을 넣는 순서는 생각하지 않는다.)

① 22   ② 24   ③ 26

④ 28   ⑤ 30

2) 각 면에 1,2,3,4의 숫자가 하나씩 적힌 정사면체 모양의 주사위가 있다. 이 주사위를 두 번 던져서 밑면에 놓인 수를 차례대로 a, b라고 할 때, $|a-b| \leq 2$을 만족시키는 순서쌍 (a, b)의 개수를 구하시오.

지혜숲 수학전문학원

경우의 수

3) A, B, C, D, E, F 6명을 일렬로 세울 때, A를 맨 앞에 세우고 B는 A와 이웃하지 않게 세우는 방법의 수를 구하시오.

4) 6개의 숫자 $0, 1, 2, 3, 4, 5$에서 서로 다른 4개의 숫자를 택하여 네 자리 자연수를 만들 때, 4의 배수의 개수를 구하시오.

경우의 수

5) 일렬로 놓여 있는 10개의 책상에 똑같은 3대의 전화를 서로 인접하지 않도록 배치하는 방법의 수를 구하시오.

6) x에 대한 이차방정식 $6x^2 - {}_nC_r x - {}_nP_r = 0$의 두 근이 $x = -1$ 또는 $x = 2$일 때, 정수 n, r에 대하여 $n + r$의 값은?

① 5   ② 6   ③ 7

④ 8   ⑤ 9

경우의 수

7) 그림과 같이 같은 간격으로 놓인 9개의 점이 있을 때, 두 점 이상을 지나는 서로 다른 직선의 개수를 구하시오.

8) 서로 다른 지우개 6개를 서로 다른 필통 3개에 넣을 때, 한 필통에 적어도 한 개의 지우개를 넣을 수 있게 하는 경우의 수는?

① 180　　　　　② 360　　　　　③ 540

④ 720　　　　　⑤ 900

경우의 수

지혜숲 수학전문학원

9) 집합 $A = \{1, 2, 3, 4, 5\}$에 대하여 다음 조건을 모두 만족시키는 A에서 A로의 함수 f의 개수를 구하시오.

> (가) 함수 f는 일대일대응이다.
>
> (나) $f(1) = 5$
>
> (다) $k \geq 2$이면 $f(k) \leq k$이다.

---

1) ②
2) 14
3) 96
4) 72
5) 56
6) ②
7) 20
8) ③
9) 8

지혜숲 수학전문학원

행렬

1. 정의

임의의 수나 문자를 직사각형 모양으로 배열하여 괄호(   )로 묶은 것

$$A = \begin{pmatrix} a_{11} & a_{12} & \cdots & a_{1n} \\ a_{21} & a_{22} & \cdots & a_{2n} \\ \vdots & \vdots & \cdots & \vdots \\ a_{m1} & a_{m2} & \cdots & a_{mn} \end{pmatrix} \begin{matrix} \leftarrow \text{제1행} \\ \leftarrow \text{제2행} \\ \\ \end{matrix}$$

$\uparrow$ 제1열 $\uparrow$ 제2열

① 행렬 A의 제 i행, 제j열의 만나는 위치에 있는 원소를 a_{ij}로 나타내고, 행렬 A의 (i,j)성분 또는 (i,j)원소라 하며 $A = (a_{ij})$로 나타낸다.

② 행렬의 가로줄을 행, 세로줄을 열이라고 한다.

③ m행 n열 행렬을 $m \times n$행렬로 나타낸다.

④ $m = n$일 때, n차 정사각행렬 또는 n차 정방행렬이라 한다.

⑤ 행렬의 모든 원소가 0인 행렬을 영행렬이라 한다. $(kO = O, \ 0A = O)$

예1 행렬 $A = \begin{pmatrix} 3 & 5 & 7 \\ 2 & 0 & -1 \\ 3 & 8 & 9 \end{pmatrix}$에 대하여 다음을 구하시오.

1) 제2행의 모든 성분의 합

2) 제3열의 모든 성분의 합

3) $(2,1)$성분과 $(1,3)$성분의 곱

4) $a_{23} - a_{32}$의 값

예2 이차정사각행렬 A의 (i,j)성분 $a_{ij} = \begin{cases} 2i + j \ (i > j) \\ ij \qquad (i = j) \\ i - 2j \ (i < j) \end{cases}$일 때, 행렬 A의 모든 성분의 합을

구하시오.

행렬

2. 행렬의 상등

$A = (a_{ij})$, $B = (b_{ij})$에 대하여

① 행렬의 사이즈가 같아야 한다.

② 두 행렬의 대응하는 성분이 같다. $(a_{ij}) = (b_{ij}) \Leftrightarrow \begin{pmatrix} a_{11} & a_{12} \\ a_{21} & a_{22} \end{pmatrix} = \begin{pmatrix} b_{11} & b_{12} \\ b_{21} & b_{22} \end{pmatrix}$

예 두 이차정사각행렬 $A = \begin{pmatrix} 1 & 2 \\ 3 & 4 \end{pmatrix}$, $B = \begin{pmatrix} x & x+y \\ x-y+z & 4 \end{pmatrix}$가 $A = B$를 만족할 때, $x+y+z$의 값을 구하시오.

3. 행렬의 연산과 성질

1) 덧셈과 뺄셈

같은 꼴의 행렬 $A = \begin{pmatrix} a_{11} & a_{12} \\ a_{21} & a_{22} \end{pmatrix}$, $B = \begin{pmatrix} b_{11} & b_{12} \\ b_{21} & b_{22} \end{pmatrix}$에 대하여 다음이 성립한다.

$A \pm B = \begin{pmatrix} a_{11} \pm b_{11} & a_{12} \pm b_{12} \\ a_{21} \pm b_{21} & a_{22} \pm b_{22} \end{pmatrix}$

2) 실수배

- $kA = \begin{pmatrix} ka_{11} & ka_{12} \\ ka_{21} & ka_{22} \end{pmatrix}$ - $0 \times A = \begin{pmatrix} 0 & 0 \\ 0 & 0 \end{pmatrix}$

3) 성질

- $A + B = B + A$ (교환법칙)   - $(A+B) + C = A + (B+C)$ (결합법칙)
- $(mn)A = m(nA) = n(mA)$ - $(m+n)A = mA + nA$, $m(A+B) = mA + mB$

지혜숲 수학전문학원

행렬

예1 세 행렬 $A = \begin{pmatrix} 5 & 0 \\ -1 & 3 \end{pmatrix}$, $B = \begin{pmatrix} 2 & 3 \\ 4 & -6 \end{pmatrix}$, $C = \begin{pmatrix} 1 & -4 \\ -3 & 5 \end{pmatrix}$에 대하여 $2(A+2C)+3(B-A)$의 값을 구하시오.

예2 두 이차정사각행렬 X, Y에 대하여 $X-Y = \begin{pmatrix} -5 & -3 \\ 3 & 1 \end{pmatrix}$, $2X+Y = \begin{pmatrix} -4 & -9 \\ -3 & 5 \end{pmatrix}$일 때, $X+Y$를 구하시오.

예3 두 행렬 $A = \begin{pmatrix} 2 \\ -1 \end{pmatrix}$, $B = \begin{pmatrix} 1 \\ -3 \end{pmatrix}$에 대하여 $xA+yB = \begin{pmatrix} 3 \\ 1 \end{pmatrix}$을 만족시키는 실수 x, y의 값을 구하시오.

행렬

4. 행렬의 곱셈

행렬 A, B, C에 대하여 $A : k \times l$, $B : m \times n$일 때 AB가 정의되려면 $l = m$이어야 하고 곱의 결과는 $k \times n$으로 나타낸다.

계산법

- $\begin{pmatrix} 4 & 3 \\ -3 & 1 \end{pmatrix}\begin{pmatrix} 8 \\ -5 \end{pmatrix}$

- $\begin{pmatrix} 2 & 1 \\ 3 & 6 \\ 4 & 7 \end{pmatrix}\begin{pmatrix} 1 & 3 & 6 \\ 4 & 1 & 7 \\ 6 & 1 & 2 \end{pmatrix}$

- $\begin{pmatrix} 0 & 3 \\ 4 & 1 \end{pmatrix}\begin{pmatrix} 2 & 1 \\ 0 & 2 \end{pmatrix}$

- $\begin{pmatrix} 1 \\ -1 \end{pmatrix}(2 \ 3)$

- $(3 \ 4)\begin{pmatrix} -2 \\ 3 \end{pmatrix}$

- $(1 \ 2)\begin{pmatrix} 3 & 6 \\ 5 & 4 \end{pmatrix}$

곱셈의 특징

- $(AB)C = A(BC)$ (결합법칙)
- $A(B + C) = AB + AC$
- $(kA)B = k(AB) = A(kB)$
- $(A + B)C = AC + BC$ (분배법칙)

$AB \neq BA$: 교환법칙이 성립하지 않으므로 곱셈공식과 지수법칙이 성립하지 않는다.

① $(A + B)^2 \neq A^2 + 2AB + B^2$ ➡ $(A + B)^2 = (A + B)(A + B) = A^2 + AB + BA + B^2$

② $(A - B)^2 \neq A^2 - 2AB + B^2$ ➡ $(A - B)^2 = (A - B)(A - B) = A^2 - AB - BA + B^2$

③ $(A + B)(A - B) \neq A^2 - B^2$ ➡ $(A + B)(A - B) = A^2 - AB + BA - B^2$

④ $(AB)^2 \neq A^2 B^2$ ➡ $(AB)^2 = (AB)(AB) = ABAB$

행렬

예1 두 행렬 $A = \begin{pmatrix} 1 & 1 \\ 1 & 0 \end{pmatrix}$, $B = \begin{pmatrix} a & b \\ 4 & 1 \end{pmatrix}$에 대하여 $(A+B)(A-B) = A^2 - B^2$이 성립할 때, 상수 a, b의 값을 구하시오.

예2 두 행렬 $A = \begin{pmatrix} 1 & 3 \\ 2 & 4 \end{pmatrix}$, $B = \begin{pmatrix} 0 & y \\ x & 12 \end{pmatrix}$에 대하여 $(A+B)^2 = A^2 + 2AB + B^2$이 성립할 때, 상수 x, y의 값을 구하시오.

예3 두 이차정사각행렬 A, B에 대하여 $A+B = \begin{pmatrix} 0 & 1 \\ -4 & -3 \end{pmatrix}$, $AB + BA = \begin{pmatrix} -12 & 0 \\ 12 & 0 \end{pmatrix}$이 성립할 때, $(A-B)^2$을 구하시오.

행렬

1) 다음 그림은 세 지점 $1, 2, 3$사이의 일방통행 길을 화살표로 나타낸 것이다. 행렬 A의 (i, j)성분 a_{ij}를 i지점에서 j지점으로 직접 가는 길의 개수로 정의할 때, 행렬 $A = (a_{ij})$는? (단, $i, j = 1, 2, 3$)

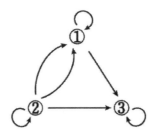

① $\begin{pmatrix} 0 & 1 & 0 \\ 1 & 0 & 2 \\ 0 & 1 & 1 \end{pmatrix}$

② $\begin{pmatrix} 0 & 1 & 0 \\ 2 & 1 & 2 \\ 1 & 0 & 1 \end{pmatrix}$

③ $\begin{pmatrix} 1 & 1 & 0 \\ 2 & 0 & 2 \\ 1 & 1 & 1 \end{pmatrix}$

④ $\begin{pmatrix} 1 & 0 & 1 \\ 2 & 1 & 1 \\ 0 & 0 & 1 \end{pmatrix}$

⑤ $\begin{pmatrix} 0 & 1 & 0 \\ 1 & 0 & 2 \\ 1 & 2 & 0 \end{pmatrix}$

2) 어느 제과회사에서는 표와 같이 구성된 A세트와 B세트를 판매하고 있다. 각 세트에 들어가는 과자와 사탕의 한 봉 당 가격은 500원, 800원이다. 이 회사에서 판매하는 A세트 10개와 B세트 15개를 구입하려고 할 때, 필요한 금액을 나타내는 행렬을 구하시오. (단, 가격할인이나 포장비용은 고려하지 않는다.)

	과자(봉)	사탕(봉)
A세트	5	1
B세트	2	4

3) 이차정사각행렬 A의 (i,j)성분 $a_{ij}(i=1,2\ \ j=1,2)$를 직선 $y=x+(i+j)$와 원 $x^2+y^2=8$이 만나는 점의 개수로 정의할 때, 행렬 A는?

① $\begin{pmatrix} 1 & 1 \\ 1 & 0 \end{pmatrix}$ 　　　② $\begin{pmatrix} 2 & 1 \\ 1 & 0 \end{pmatrix}$ 　　　③ $\begin{pmatrix} 2 & 1 \\ 1 & 1 \end{pmatrix}$

④ $\begin{pmatrix} 2 & 2 \\ 2 & 1 \end{pmatrix}$ 　　　⑤ $\begin{pmatrix} 2 & 2 \\ 2 & 2 \end{pmatrix}$

4) 이차방정식 $x^2-ax+b=0$의 두 근을 α,β라 할 때, 등식 $\alpha\begin{pmatrix} 1 & \alpha \\ 0 & \beta \end{pmatrix}+\beta\begin{pmatrix} 1 & \beta \\ 0 & \alpha \end{pmatrix}=\begin{pmatrix} 3 & 5 \\ 0 & 2\alpha\beta \end{pmatrix}$가

성립하도록 하는 실수 a,b에 대하여 $a+b$의 값은?

① 4 　　　② 5 　　　③ 6

④ 7 　　　⑤ 8

5) 두 행렬 $A = \begin{pmatrix} 1 & x \\ -2 & 1 \end{pmatrix}$, $B = \begin{pmatrix} 1 & y \\ 2 & 1 \end{pmatrix}$ 이고 $-2 \leq x \leq 2$일 때, 등식

$(A+B)(A-B) = A^2 - B^2$을 만족시키는 실수 x, y가 나타내는 도형의 길이를 구하시오.

6) 행렬 $M = \begin{pmatrix} 4 \\ -5 \end{pmatrix}$에 대하여 $MA + B = \begin{pmatrix} -1 & -2 \\ 3 & -6 \end{pmatrix}$이다. 행렬 B의 모든 성분의 합이 18일 때, 행렬 A의 모든 성분의 합을 구하시오.

행렬

7) 이차정사각행렬 A가 다음 두 조건을 만족한다.

> (가) $A^2 - 5A - 2E = O$
>
> (나) $A\begin{pmatrix} -1 \\ 2 \end{pmatrix} = \begin{pmatrix} 3 \\ 5 \end{pmatrix}$

이때 $A\begin{pmatrix} 3 \\ 5 \end{pmatrix}$의 모든 성분의 합을 구하시오. (단, O는 영행렬이고, E는 단위행렬이다.)

8) 이차정사각행렬 A가 $A^2 = A - 4E$, $A\begin{pmatrix} 1 \\ 2 \end{pmatrix} = \begin{pmatrix} 4 \\ 2 \end{pmatrix}$를 만족할 때, 다음 중 $A\begin{pmatrix} 2 \\ 1 \end{pmatrix}$과 같은 행렬은?

① $\begin{pmatrix} 0 \\ -1 \end{pmatrix}$ ② $\begin{pmatrix} 0 \\ -2 \end{pmatrix}$ ③ $\begin{pmatrix} 0 \\ -3 \end{pmatrix}$

④ $\begin{pmatrix} 0 \\ -4 \end{pmatrix}$ ⑤ $\begin{pmatrix} 0 \\ -5 \end{pmatrix}$

행렬

9) 이차정사각행렬 A가 $A\begin{pmatrix} 2a \\ 3b \end{pmatrix} = \begin{pmatrix} 2 \\ 5 \end{pmatrix}$, $A\begin{pmatrix} 2a \\ b \end{pmatrix} = \begin{pmatrix} -2 \\ 3 \end{pmatrix}$을 만족할 때, $A\begin{pmatrix} a \\ b \end{pmatrix}$와 같은 행렬은?

① $\begin{pmatrix} -2 \\ 0 \end{pmatrix}$ ② $\begin{pmatrix} -1 \\ 0 \end{pmatrix}$ ③ $\begin{pmatrix} 1 \\ 0 \end{pmatrix}$

④ $\begin{pmatrix} 2 \\ 2 \end{pmatrix}$ ⑤ $\begin{pmatrix} 0 \\ 2 \end{pmatrix}$

---

1) ④
2) $(500 \ 800)\begin{pmatrix} 5 & 2 \\ 1 & 4 \end{pmatrix}\begin{pmatrix} 10 \\ 15 \end{pmatrix}$ 또는 $(10 \ 15)\begin{pmatrix} 5 & 1 \\ 2 & 4 \end{pmatrix}\begin{pmatrix} 500 \\ 800 \end{pmatrix}$
3) ④
4) ②
5) $4\sqrt{2}$
6) 24
7) 42
8) ③
9) ⑤

행렬의 거듭제곱

1. 단위행렬

n차 정사각행렬에서 대각성분이 모두 1이고, 다른 원소는 모두 0인 행렬

- $E = \begin{pmatrix} 1 & 0 \\ 0 & 1 \end{pmatrix}$, $E = \begin{pmatrix} 1 & 0 & 0 \\ 0 & 1 & 0 \\ 0 & 0 & 1 \end{pmatrix}$ $\cdots$

- $E^2 = E$, $E^3 = E$, $\cdots$, $E^n = E$

※ 곱셈에서의 특징

- $AE = EA = A$(교환법칙 성립)

- $(A+E)^2 = A^2 + 2A + E$, $(A-E)^2 = A^2 - 2A + E$, $(A+E)(A-E) = A^2 - E$

- $A^2 + A + E = O$ $\Longrightarrow$ $A^3 = E$

- $A^2 - A + E = O$ $\Longrightarrow$ $A^3 = -E$

2. 케일리-해밀턴의 정리

이차정사각행렬 $A = \begin{pmatrix} a & b \\ c & d \end{pmatrix}$, $E = \begin{pmatrix} 1 & 0 \\ 0 & 1 \end{pmatrix}$, $O = \begin{pmatrix} 0 & 0 \\ 0 & 0 \end{pmatrix}$에 대하여

$$A^2 - (a+d)A + (ad - bc)E = O$$

지혜숲 수학전문학원

행렬의 거듭제곱

예1 행렬 $A = \begin{pmatrix} 1 & -2 \\ 0 & 2 \end{pmatrix}$에 대하여 행렬 $(A+E)(A^2-A+E)$를 구하시오.

예2 이차정사각행렬 A, B에 대하여 $A+B=O$, $AB=E$가 성립할 때, $A^{2023}-B^{2023}$을 A를 사용하여 나타내시오. (단, E는 단위행렬, O는 영행렬이다.)

예3 행렬 $A = \begin{pmatrix} 2 & 1 \\ 1 & 3 \end{pmatrix}$에 대하여 A^2-5A를 구하시오.

예4 이차정사각행렬 $A = \begin{pmatrix} 0 & -1 \\ 1 & a \end{pmatrix}$가 $A^2+A+E=O$를 만족시킬 때, A^{101}의 모든 성분의 합을 구하시오. (단, a는 상수, E는 단위행렬, O는 영행렬이다.)

행렬의 거듭제곱

3. 영인자 해석

- 두 실수 a, b에 대하여 $ab = 0 \leftrightarrow a = 0 \, \text{or} \, b = 0$
- 두 행렬 A, B에 대하여 $AB = O \leftarrow A = O \ \text{or} \ B = 0$
- 두 행렬 A, B에 대하여 $(A - E)(A - 2E) = O \leftarrow A = E \ \text{or} \ A = 2E$
- 방정식을 풀 듯 하거나 케일리 해밀턴을 이용하거나 둘중에 하나!

예1 이차정사각행렬 $A = \begin{pmatrix} a & b \\ 1 & 1 \end{pmatrix}$이고 $A^2 - 3A + 2E = O$을 만족할 때, $a + b$의 값을 구하시오.

예2 이차정사각행렬 $A = \begin{pmatrix} a & b \\ 0 & 1 \end{pmatrix}$이고 $A^2 - 3A + 2E = O$을 만족할 때, $a + b$의 값을 구하시오.

예3 이차정사각행렬 A에 대하여 다음 보기중 옳은 것을 모두 고른 것은?(단, O는 영행렬, E는 단위행렬이다.)

보기
㉠ $(A - E)^2 = O$이면 $A = E$이다.
㉡ $A^2 = E$이면 $A = E$ 또는 $A = -E$이다.
㉢ $A + B = 2E$, $AB = O$이면 $A^2 + B^2 = 4E$이다.

행렬의 거듭제곱

4. A^n의 추정

1) 공식에 의한 추정

- $\begin{pmatrix} 1 & a \\ 0 & 1 \end{pmatrix}^n = \begin{pmatrix} 1 & na \\ 0 & 1 \end{pmatrix}$, $\begin{pmatrix} 1 & 0 \\ a & 1 \end{pmatrix}^n = \begin{pmatrix} 1 & 0 \\ na & 1 \end{pmatrix}$

- $\begin{pmatrix} a & 0 \\ 0 & b \end{pmatrix}^n = \begin{pmatrix} a^n & 0 \\ 0 & b^n \end{pmatrix}$

예1 이차정사각행렬 $A = \begin{pmatrix} 1 & 3 \\ 0 & 1 \end{pmatrix}$일 때, A^{10}을 구하시오.

예2 이차정사각행렬 $A = \begin{pmatrix} 3 & 6 \\ 0 & 3 \end{pmatrix}$일 때, A^{10}을 구하시오.

2) 케일리 해밀턴 정리에 의한 추정

① $a + d = 0$

예3 이차정사각행렬 $A = \begin{pmatrix} 2 & 1 \\ 1 & -2 \end{pmatrix}$일 때, A^{100}을 구하시오.

② $ad - bc = 0$

예4 이차정사각행렬 $A = \begin{pmatrix} 1 & 2 \\ 1 & 2 \end{pmatrix}$일 때, A^{100}을 구하시오.

③ $ad - bc = 1$ & $a + d = \pm 1$

예5 이차정사각행렬 $A = \begin{pmatrix} -2 & -3 \\ 1 & 1 \end{pmatrix}$일 때, A^{100}을 구하시오.

지혜숲 수학전문학원

행렬의 거듭제곱

1) 행렬 $A = \begin{pmatrix} x & y \\ y & x \end{pmatrix}$에 대하여 등식 $A^2 + 3A - 4E = O$를 만족하는 순서쌍 (x,y)의 개수는?

(단, x, y는 실수이고, E는 단위행렬, O는 영행렬이다.)

① 1
② 2
③ 3

④ 4
⑤ 5

2) 자연수 n과 8이하의 자연수 a에 대하여 $\begin{pmatrix} a & 3 \\ 0 & a \end{pmatrix}^n$의 $(1,1)$성분과 $(1,2)$성분이 같을 때, 가능한 모든 a의 곱을 구하시오.

행렬의 거듭제곱

3) 이차방정식 $x^2 - 5x - 1 = 0$의 두 근을 α, β라 할 때, 행렬 $A = \begin{pmatrix} 2 & \alpha \\ \beta & -2 \end{pmatrix}$에 대하여 A^5과

같은 행렬은?

① $6A$ ② $9A$ ③ $25A$

④ $27A$ ⑤ $81A$

4) 행렬 $A = \begin{pmatrix} 1 & 2 \\ 1 & 2 \end{pmatrix}$에 대하여 행렬 A^{16}의 모든 성분의 합은 $a \times 3^k$이다. 이때, 자연수 a, k의

합 $a + k$의 값은? (단, a는 소수이다.)

① 17   ② 18   ③ 19

④ 20   ⑤ 21

행렬의 거듭제곱

5) $A = \begin{pmatrix} 3 & 7 \\ -1 & -2 \end{pmatrix}$에 대하여 $A + A^2 + A^3 + \cdots + A^{2023}$의 모든 성분의 합은?

① 2   ② 7   ③ 12

④ 17   ⑤ 22

6) 두 행렬 $A = \begin{pmatrix} 1 & -1 \\ 1 & 1 \end{pmatrix}$, $E = \begin{pmatrix} 1 & 0 \\ 0 & 1 \end{pmatrix}$에 대하여 $A^n = kE$ (k는 실수)를 만족시키는 1000이하의 자연수 n의 개수를 구하시오.

행렬의 거듭제곱

7) 이차정사각행렬 A, B가 $A^2 + B^2 = \begin{pmatrix} 5 & 0 \\ \frac{3}{2} & 1 \end{pmatrix}$, $AB + BA = \begin{pmatrix} -4 & 0 \\ -\frac{1}{2} & 0 \end{pmatrix}$을 만족시킬 때, 행렬

$(A+B)^{100}$의 모든 성분의 합을 구하시오.

8) 다음 세 조건을 만족시키는 영행렬이 아닌 모든 이차정사각행렬 A, B에 대하여

$B^3 + 2BA^3$과 항상 같은 행렬은? (단, E는 단위행렬이다.)

(가) $AB = BA$	(나) $(E - B)^2 = E - B$	(다) $AB = -B$

① $2A$　　　　　② $-A$　　　　　③ E

④ $2B$　　　　　⑤ $-B$

행렬의 거듭제곱

9) 두 이차정사각행렬 A, B가 다음 조건을 만족시킬 때, 행렬 A^3의 모든 성분의 합은? (단, E는 단위행렬이다.)

(가) $A + B = 2E$, $AB = 2B$	(나) 행렬 B의 모든 성분의 합은 1이다.

① 4 　　　　　　② 5 　　　　　　③ 6

④ 7 　　　　　　⑤ 8

10) 등식 $AB = -BA$를 만족시키는 두 이차정사각행렬 A, B에 대하여 옳은 것만을 보기에서 있는 대로 고른 것은?

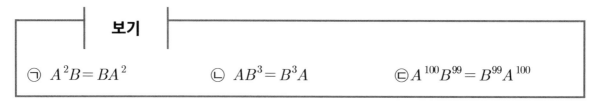

보기

ㄱ. $A^2B = BA^2$ 　　　　ㄴ. $AB^3 = B^3A$ 　　　　ㄷ. $A^{100}B^{99} = B^{99}A^{100}$

① ㄱ 　　　　　　② ㄴ 　　　　　　③ ㄱ, ㄴ

④ ㄱ, ㄷ 　　　　　　⑤ ㄱ, ㄴ, ㄷ

행렬의 거듭제곱

11) 이차정사각행렬 A, B에 대하여 $A^2 + A = E$, $AB = 2E$가 성립할 때, B^2을 A와 E로 나타내면?

① $2A + 4E$　　　　② $2A - E$　　　　③ $4A + 8E$

④ $4A - 2E$　　　　⑤ $8A - 4E$

---

1) ④
2) 18
3) ②
4) ②
5) ②
6) 250
7) 52
8) ⑤
9) ①
10) ④
11) ③

빠른정답

p.1	1) −1 2) 이차 3) 1 4) $3x^2 - xy + 4x + y^2 - 2y + 1$ 5) $3x^2 + 4x + 1 - xy - 2y + y^2$
p.2	예1 33 예2 20
p.4	예1 $x^3 + 3x^2 - 10x - 24$ 예2 $x^4 + 2x^3 - x^2 - 2x - 8$ 예3 $3^{16} - 2^{16}$ 예4 −18
p.5	예1 몫: $3x + 2$, 나머지: 3 예2 $2x^3 + x^2 - 7x + 8$ 예3 $x^2 - x - 5$
p.6	예1 몫: $\dfrac{1}{3}Q(x)$, 나머지: R 예2 몫: $aQ(x)$, 나머지: R
p.11	예1 $x = -2$, $y = 5$ 예2 $a = 1, b = 2, c = -1$
p.12	예1 $a = 4$, $b = -4$ 예2 0
p.13	예1 2^{14} 예2 32
p.14	예1 3 예2 40

빠른정답

빠른정답

*p.*19	예1 51 예2 7 예3 4
*p.*20	예1 몫:$3x^2-2x+4$, 나머지:-13 예2 몫:x^2-x+1, 나머지:6 예3 $a=3, b=9, c=8, d=4$
*p.*21	예1 $-2x+3$ 예2 $10x-3$ 예3 $5x-2$
*p.*22	예4 x^2+x+3 예5 x^2+x+3 예6 2
*p.*23	예1 -1 예2 2
*p.*24	예3 1000 예4 11

*p.*30	예1 1) $x(x+1)(x^2-x+1)$ 2) $(x^2+y^2)(x+y)(x-y)$ 3) $(x+y)(x-y)(x^2+y^2+z^2)$ 4) $(x-1)(x^2-3)$	예2 1) $(x+2)^2$ 2) $(x-a-1)(x-a-2)$ 3) $(3x-1)^3$ 4) $(a-2b+c)(a-2b-c))$

빠른정답

$p.31$	**예1** 1) $(a^2+3x+7)(a^2+3a-5)$ 2) $(x+3)(x-2)(x^2+x-8)$	**예2** 1) $(x+1)(x-2)(x-3)$ 2) $(x+3)(3x-2)(x-4)$
$p.32$	**예3** 1) $(x+1)(x-1)(x^2-2)$ 2) $(x^2+2x-2)(x^2-2x-2)$	**예4** 1) $(x^2+6x+1)(x^2-x+1)$ 2) $(x^2+5x+1)(x-1)^2$
$p.33$	**예5** 1) $(x+1)(x+y+1)$ 2) $(x-y)(x^2+y^2+z^2+xy+yz+zx)$ **예6** -4 **예7** 2024	
$p.37$	**예1** 허수: ㉠, ㉡, ㉤, ㉧, 순허수: ㉡,㉧ **예2** $x=3, y=-1$	
$p.38$	**예1** $3-6i$ **예2** 0 **예3** 24	
$p.39$	**예1** -3 **예2** 2 **예3** $1-i$	
$p.40$	**예1** -1 **예2** 5 **예3** -2	

빠른정답

$p.41$	예1 1) -2^{30} 2) $-i$ 3) -2^{10} 4) $-\sqrt{6}$ 5) $\sqrt{-36}$ 6) $-\sqrt{-4}$) 예2 -10
$p.48$	예1 $a \neq 1, a \neq 2$일 때, $x = \dfrac{1}{a-1}$, $a = 1$일 때 불능, $a = 2$일 때 부정 예2 $x = 1, 2\sqrt{2} + 2$
$p.49$	예1 1) $x = \pm 4$ 2) $x = 1, 3$ 3) $x = -3, \sqrt{3}$ 예2 $a = 2$, $x = 2$
$p.54$	예1 $k \leq 1$ 예2 $-1 < k < 1$ 예3 $k < -3, -3 < k < 0, k > 1$ 예4 $a = 0, b = 1$
$p.55$	예1 $-\dfrac{14}{5}$ 예2 6 예3 9
$p.56$	예1 -2 예2 -3
$p.57$	예1 $2x^2 - 10x + 12 = 0$ 예2 $2x^2 - 3x + 1 = 0$
$p.58$	예1 $x^2 + x - 3$ 예2 $x^2 - 3x + 4$ 예3 5
$p.59$	예1 17 예2 3
$p.60$	예1 1 예2 -5 예3 -2
$p.69$	예1 $y = 2x - 7$ 예2 $p > -4$

빠른정답

$p.70$	예1 16 예2 $f(x) = 2x^2 - 4x + 2$ 예3 3
$p.71$	예1 $3 \leq a < 7$ 예2 $a \leq -2$ 예3 $a > 7$ 예4 $0 \leq m < \dfrac{1}{3}$
$p.79$	예1 $\begin{cases} x = -4 \\ y = -3 \end{cases}$ 또는 $\begin{cases} x = 3 \\ y = 4 \end{cases}$ 예2 $\begin{cases} x = \sqrt{2} \\ y = \sqrt{2} \end{cases} \begin{cases} x = -\sqrt{2} \\ y = -\sqrt{2} \end{cases} \begin{cases} x = 1 \\ y = 2 \end{cases} \begin{cases} x = -1 \\ y = -2 \end{cases}$ 예3 $\begin{cases} x = 1 \\ y = 6 \end{cases} \begin{cases} x = 6 \\ y = 1 \end{cases}$
$p.80$	예1 $\begin{cases} x = 2 \\ y = 3 \end{cases} \begin{cases} x = 3 \\ y = 2 \end{cases} \begin{cases} x = 0 \\ y = -1 \end{cases} \begin{cases} x = -1 \\ y = 0 \end{cases}$ 예2 $x = -2, y = -1$
$p.85$	예1 $\begin{cases} a > 1, x < -1 \\ a < 1, x > -1 \\ a = 1, \text{해가없다} \end{cases}$
$p.87$	예1 $-4 < x < 3$ 예2 $-2 \leq a < 2$
$p.89$	예1 $a > 4$ 예2 $-3 \leq a \leq 0$ 예3 $-2 < a < 0$ 또는 $a > 0$ 예4 $-\dfrac{4}{3} < k < 0$
$p.95$	예1 4 예2 6 예3 10 예4 24
$p.96$	예1 5 예2 12 예3 8

빠른정답

$p.97$	예1 191 예2 59 예3 19
$p.98$	예1 11 예2 31 예3 6
$p.99$	예1 210 예2 35
$p.100$	예1 96 예2 84
$p.101$	예1 720 예2 1440 예3 156 예4 672
$p.102$	예5 47 예6 10 예7 210 예8 1680
$p.103$	예1 30 예2 20
$p.109$	예1 1) 1 2) 15 3) 14 4) -9 예2 7
$p.110$	예 5
$p.111$	예1 $\begin{pmatrix} 5 & -7 \\ 1 & -1 \end{pmatrix}$ 예2 $\begin{pmatrix} -1 & -5 \\ -3 & 3 \end{pmatrix}$ 예3 $x=2, y=-1$

빠른정답

$p.113$	예1 $a=5, b=4$
	예2 $x=8, \ y=12$
	예3 $\begin{pmatrix} 20 & -3 \\ -12 & 5 \end{pmatrix}$
$p.120$	예1 $\begin{pmatrix} 2 & -14 \\ 0 & 9 \end{pmatrix}$
	예2 $-2A$
	예3 $\begin{pmatrix} -5 & 0 \\ 0 & -5 \end{pmatrix}$
	예4 -1
$p.121$	예1 2
	예2 1
	예3 ㉢
$p.122$	예1 $\begin{pmatrix} 1 & 30 \\ 0 & 1 \end{pmatrix}$
	예2 $3^{10}\begin{pmatrix} 1 & 20 \\ 0 & 1 \end{pmatrix}$
	예3 $5^{50}E$
	예4 $3^{99}A$
	예5 $-A$